Œufs
cocotte

Œufs
sur le plat

À-côtés

Œufs
durs

Œufs
brouillés

Œufs
sur le plat

Œufs
pochés

DR YVES LAMONTAGNE

Brunch entre amis

20 personnalités cassent des œufs pour **Les Impatients**

Catalogage avant publication de Bibliothèque et Archives nationales du Québec et Bibliothèque et Archives Canada

Lamontagne, Yves, 1941-

Brunch entre amis : 20 personnalités cassent des œufs pour Les Impatients

Comprend un index.

ISBN 978-2-7644-1123-0 (version imprimée)

ISBN 978-2-7644-1157-5 (PDF)

1. Cuisine (Œufs). 2. Livres de cuisine. I. Impatients (Groupe). II. Titre.

TX745.L352 2012   641.6'75   C2012-941331-3

Nous reconnaissons l'aide financière du gouvernement du Canada par l'entremise du Fonds du livre du Canada pour nos activités d'édition.

Les Éditions Québec Amérique inc. tiennent également à remercier l'organisme suivant pour son appui financier : Gouvernement du Québec - Programme de crédit d'impôt pour l'édition de livres - Gestion SODEC.

Les Éditions Québec Amérique
329, rue de la Commune Ouest, 3e étage
Montréal (Québec) H2Y 2E1 Canada
www.quebec-amerique.com

Dépôt légal : 4e trimestre 2012
Bibliothèque et Archives nationales du Québec
Bibliothèque et Archives Canada

Président : Jacques Fortin
Directrice générale : Caroline Fortin
Directrice des éditions : Martine Podesto

Éditrice : Ophélie Delaunay
Auteur : Dr Yves Lamontagne
Photographe et styliste culinaire : Catherine Côté
Conception graphique : Julie Villemaire
    avec la collaboration de Célia Provencher-Galarneau

Révision linguistique : Sabine Cerboni
Coordinateur du projet : Michel Viau
Responsable de l'impression : Salvatore Parisi
Responsables du prépresse : Benjamin Dubé et François Hénault
Programmeur : Gabriel Trudeau-St-Hilaire

Imprimé au Canada
10 9 8 7 6 5 4 3 2 1   15 14 13 12
PO 513, Version 1.0

Dʳ YVES LAMONTAGNE

Brunch entre amis

20 personnalités cassent des œufs pour **Les Impatients**

LES
IMPATIENTS
Québec Amérique

Avant-propos

COMME ME L'A SUGGÉRÉ MON MÉDECIN, JE ME LIMITE À LA CONSOMMATION DE DEUX À TROIS ŒUFS PAR SEMAINE. À MON ÂGE, ON SE DOIT D'ÊTRE PLUS SAGE! MAIS, PLUS JEUNE, JE NE ME PRIVAIS PAS. MON PETIT-DÉJEUNER QUOTIDIEN ÉTAIT TOUJOURS CONSTITUÉ D'UN ŒUF, ACCOMPAGNÉ DE BACON ET DE DEUX RÔTIES. TOUJOURS LA MÊME CHOSE, DE LA MÊME MANIÈRE. IL ÉTAIT TEMPS DE CHANGER! EN EFFET, LES FAÇONS DE CUISINER LES ŒUFS SONT QUASI ILLIMITÉES, QU'ILS SOIENT FRITS, BROUILLÉS, POCHÉS, CUITS DURS, SUR LE PLAT, EN OMELETTES ET J'EN PASSE.

Après avoir réalisé toutes ces possibilités, je me suis mis à collectionner des recettes à base d'œufs et à les modifier à mon gré, surtout lors des brunchs de la fin de semaine en famille. Dans la chaleureuse ambiance de notre maison de campagne, je m'installais sur le comptoir de la cuisine, face au lac, et je concoctais des œufs, apprêtés de toutes sortes de façons. Malgré toutes les variétés que je leur ai présentées jusqu'à maintenant, mes enfants succombent toujours à mes œufs Worcestershire, et encore plus lorsque je les accompagne de mon jambon persillé ou de mon pâté de campagne. Si jamais j'avais quelque chose à me faire pardonner, je crois que j'essaierais une de mes recettes, bien présentée et agrémentée d'épices. Je suis convaincu qu'alors j'achèterais la paix. Certains amis et membres de ma famille ont même contribué à compléter ma collection de recettes de brunch en me faisant part de leurs coups de cœur.

Moins d'hommes que de femmes sont attirés par la cuisine, mais les choses changent! Messieurs, pourquoi ne pas commencer avec des recettes d'œufs faciles à préparer et qui permettent de commencer la journée du bon pied? Mesdames, passez le message et le livre à votre partenaire ou même à vos enfants; peut-être succomberont-ils au plaisir de cuisiner des œufs de toutes sortes de manières!

Je n'ai pas décidé d'écrire ce livre seulement pour vous partager mes recettes de brunch et vous faire découvrir cet aliment épatant qu'est l'œuf. Je l'ai surtout fait pour aider Les Impatients, un groupe de thérapie par l'art destiné aux personnes souffrant de maladie mentale. Les droits d'auteurs résultant de la vente de l'ouvrage seront remis intégralement à cet organisme formidable, fondé par madame Lorraine Palardy. Plusieurs de mes amis (médecins, artistes et chefs cuisiniers) se sont joints à la cause en offrant une de leurs recettes d'œufs fétiches. Ma conjointe Céline a également contribué à l'ouvrage en offrant son portrait de l'œuf et ses petits grains de sel. Et pour célébrer les 20 ans de l'organisme en 2012, nous avons choisi de vous faire découvrir le talent des Impatients en incluant plusieurs de leurs œuvres au fil du livre.

Bonne lecture et bon appétit.

Yves Lamontagne, médecin

Le **docteur Yves Lamontagne**, psychiatre, est le fondateur du Centre de recherche Fernand-Séguin de l'Hôpital Louis-H. Lafontaine (Montréal) et de la Fondation des maladies mentales. Auteur de nombreux livres et articles scientifiques, et riche d'une expérience unique en administration, en aide humanitaire et en communication, il s'est vu décerner plusieurs prix et décorations honorifiques, dont l'Ordre du Canada et l'Ordre national du Québec. Il a également été président du Collège des médecins du Québec de 1998 à 2010.

Préface de Lorraine Palardy

JE CONNAIS YVES LAMONTAGNE DEPUIS PLUS DE 20 ANS. IL EST ET SERA TOUJOURS CE LEADER CHARISMATIQUE QUI A LE GRAND MÉRITE D'ÊTRE UN DES PREMIERS À POSER DES GESTES CONCRETS POUR DÉMYSTIFIER LA MALADIE MENTALE.

Ce grand défricheur, homme sérieux, récipiendaire d'à peu près toutes les décorations, est capable de tout. Écrire, chanter, raconter des histoires, captiver un auditoire en parlant de maladies mentales, organiser des partys… Et attention, avec les Lamontagne, si ça commence par un brunch cela risque aussi de finir très tard !

Merci, Yves, d'avoir embrassé dès les premiers jours la cause des Impatients. Merci d'avoir appuyé ces ateliers de création, dirigés de façon exceptionnelle par des intervenants dévoués dans les centres de Montréal, de Drummondville et de Granby, avec ce très bel ouvrage où le plaisir est au rendez-vous.

Merci aux amis du Doc qui ont accepté généreusement, dans un bel esprit collaboratif, de contribuer à démystifier la maladie mentale dans la société.

Merci à Québec Amérique de permettre aux Impatients d'illustrer de façon personnelle, inattendue et originale, ce magnifique ouvrage.

Merci enfin à vous qui avez acheté ce livre. En plus de cuisiner ces excellentes recettes, vous allez aider la fondation à poursuivre sa mission et à mieux faire connaître les réalisations des personnes qui souffrent encore aujourd'hui de cette maladie !

Gros merci et bon appétit !

Lorraine Palardy

Lorraine Palardy

Lorraine Palardy est la directrice générale de l'organisme Les Impatients, qui vient en aide, par le biais de l'expression artistique, aux personnes atteintes de maladie mentale. Le centre offre gratuitement des ateliers de création, encadrés par des artistes thérapeutes, principalement axés sur le dessin, la peinture et la musique. Il réunit à ce jour une collection de plus de 12 000 œuvres, qui constituent un patrimoine d'une grande richesse, original et unique au Canada.

Préface de Clémence Desrochers

HOMMAGE AUX ŒUFS

Les œufs sont ma survie. Comme je suis nulle en cuisine, le midi je fais bouillir un œuf 5 minutes, que je mange avec une rôtie. Si j'ai assez faim, je le casse dans un poêlon et fais danser le bacon dans le micro-ondes pour l'accompagner. Parfois j'ai le goût de le déguster avec des fèves au lard du Petit Poucet. Il y a quelques années je faisais une tournée dans le Bas-du-Fleuve et nous habitions un petit chalet. Les propriétaires avaient eu l'idée géniale d'élever des poules et nous allions chercher les œufs frais le matin. Il y a très longtemps, dans la cuisine de la rue Pacifique où la famille entière était assise autour de la table, mon frère aîné trouvait que mon jeune frère prenait trop de place et, fâché, il lui a cassé un œuf sur la tête ! Quel gaspillage !

Le docteur Lamontagne a eu une très bonne idée d'écrire un livre sur mes amis les œufs, de l'illustrer avec des œuvres produites par Les Impatients et de le publier pour aider la cause. Je suis contente, j'apprendrai d'autres façons d'aller me faire cuire un œuf !

Clémence

Clémence Desrochers

À la fois actrice, scénariste, écrivaine, chanteuse et humoriste, **Clémence Desrochers** est aussi la marraine des Impatients. Depuis la création de l'organisme en 1992, elle participe à ses diverses activités et est sur toutes les tribunes pour partager son amour des Impatients, qui le lui rendent bien.

Dr Richard Béliveau
Directeur du
laboratoire de
médecine moléculaire
et chercheur au service
de neurochirurgie du
CHUM, titulaire de la
chaire de neurochirur-
gie Claude-Bertrand de
l'Université de Montréal.
Recette p. 87

**Dr Jean-François
Chicoine**
Directeur de la clinique
d'adoption et de santé
internationale du
CHU Sainte-Justine,
professeur de pédiatrie
et vice-président de
Le Monde est ailleurs.
Recette p. 151

Véronique Cloutier
Animatrice de radio
et de télévision et
comédienne.
Recette p. 45

Michel Cusson
Compositeur et
musicien, spécialisé
dans les musiques
de films et de
méga-spectacles.
Recette p. 156

Les amis

**Louise
Deschâtelets**
Actrice, animatrice
de télévision et
chroniqueuse à
la radio et dans
la presse écrite.
Recette p. 72

Josée di Stasio
Chef cuisinière,
auteure et animatrice
de télévision.
Recette p. 127

Fisun Ercan
Chef cuisinière du
restaurant turc Su
et auteure.
Recette p. 60

Stefano Faita
Cuisinier,
auteur, professeur de
cuisine et animateur
de télévision.
Recette p. 123

D^{re} Christiane Laberge
Médecin de famille et chroniqueuse à la télévision et à la radio.
Recette p. 152

Dr Paul Moïse
Chirurgien orthopédiste.
Recette p. 92

Ricardo Larrivée
Chef cuisinier, auteur et animateur de télévision.
Recette p. 49

Claudette Taillefer
Chef cuisinière, auteure et animatrice de télévision.
Recette p. 147

du Doc

Marie-Josée Taillefer
Animatrice de télévision et auteure.
Recette p. 147

Dr Jean-Bernard Trudeau
Médecin de famille, secrétaire adjoint au Collège des médecins du Québec et président du C. A. des Impatients.
Recette p. 140

D^t Stanley Vollant
Chirurgien, porte-parole auprès des communautés autochtones et fondateur du projet Innu Meshkenu.
Recette p. 104

Mariloup Wolfe
Comédienne et réalisatrice de films.
Recette p. 132

Table des matières

Œufs brouillés	Omelettes	À-côtés
99	119	135

L'œuf et la santé

Par le docteur Yves Lamontagne

L'ŒUF EST UNE DENRÉE ALIMENTAIRE DE BASE RICHE EN NUTRIMENTS ET À LA COMPOSITION ÉTONNANTE. ÉCONOMIQUE À L'ACHAT, IL POSSÈDE AUSSI DES PROPRIÉTÉS BÉNÉFIQUES POUR LA SANTÉ.

La composition de l'œuf

L'œuf est constitué de quatre éléments principaux : la coquille, la membrane, l'albumen et le jaune.

La coquille est une enveloppe poreuse et fragile qui protège l'œuf en formant une barrière contre les microbes et en conservant son humidité. Elle représente 9 à 12 % du poids total de l'œuf. Constituée de multiples orifices minuscules (6 000 à 8 000 pour un œuf moyen), la coquille est principalement composée de carbonate de calcium (94 %), une substance proche de la céramique, de carbonate de magnésium (1 %), de phosphate de calcium (1 %) et de matières organiques (4 %). Elle se forme en moins d'une journée. Aucune industrie ne peut battre ce record de vitesse de construction. Plus une poule est bonne pondeuse, plus les coquilles de ses œufs sont minces. La couleur de la coquille peut aller du blanc au brun rose, en passant par le bleu selon les races de poules, mais elle n'a aucune influence sur les valeurs nutritives ou la saveur de l'œuf.

La membrane de l'œuf, qui adhère presque à la coquille, est constituée de deux ou trois fines couches de fibres protéiques qui servent de protection contre des éléments indésirables comme les bactéries et les moisissures. Après la ponte, lorsque l'œuf refroidit, la membrane se contracte et une chambre à air se forme au niveau de l'extrémité arrondie.

L'albumen ou le blanc d'œuf est composé de 87 % d'eau et de 12,5 % d'albumine, une substance qui appartient au groupe des protéines. Il constitue les deux tiers de l'œuf et ne contient aucune matière grasse ni cholestérol.

Le jaune, quant à lui, est constitué de plusieurs couches d'une matière appelée *vitellus*, protégée par une membrane transparente : lorsque la diète de la poule pondeuse est riche en blé, le jaune de l'œuf prend une teinte pâle, alors que si son alimentation est essentiellement composée de maïs, le jaune est plus foncé.

L'œuf, une denrée alimentaire de base

Si vous n'aviez qu'une seule chose à manger, l'œuf serait l'aliment parfait. Il est composé de 12 % de protéines, est riche en vitamines (A, D, E, B12, acide folique) et en minéraux (fer, zinc, phosphore), et il ne compte que

80 calories. Il fait donc partie d'une alimentation saine et équilibrée et il est un excellent substitut à la viande.

Par ailleurs, le jaune d'œuf est constitué de plusieurs éléments aux effets bénéfiques sur la santé. En effet, il contient de la lutéine et de la zéaxanthine, deux anti-oxydants qui permettent de diminuer le risque de dégénérescence maculaire et de cataractes à hauteur de 40 % et 20 %. Il est également constitué de choline, un nutriment qui agit sur le développement et le fonctionnement du cerveau, en plus de participer à la fabrication des membranes cellulaires ainsi qu'au transport des lipides. On rapporte même que la choline pourrait aider à balancer le taux d'homocystéine, ce qui diminuerait les risques de maladies cardiovasculaires.

Les œufs oméga-3

Depuis quelques années, on trouve des œufs oméga-3 sur le marché. Ces derniers contiennent huit fois plus de ce type de gras bénéfique, soit 0,31 g d'oméga-3 d'origine végétale par œuf, et sept fois plus de vitamine E que les œufs traditionnels. Chaque œuf enrichi en oméga-3 consommé comble de 25 à 30 % des apports quotidiens recommandés en oméga-3 de source végétale, qui sont de 1,1 g pour les femmes et de 1,6 g pour les hommes.

Les œufs et le cholestérol

On a longtemps cru que le cholestérol retrouvé dans les œufs était responsable du mauvais cholestérol LDL contenu dans le sang. Depuis, plusieurs études ont démontré que le cholestérol alimentaire n'influence pas ou très peu la production du mauvais cholestérol sanguin. Ce sont plutôt les gras saturés et les gras trans qui commandent au foie de produire plus de mauvais cholestérol LDL dans le sang.

Les gras saturés sont principalement dans les produits d'origine animale riches en gras, comme les viandes rouges, les charcuteries, le beurre, les fromages gras, tandis que les gras trans sont des gras transformés par l'industrie, comme les huiles hydrogénées ou partiellement hydrogénées et le shortening, qui font partie de nombreux aliments commerciaux tels que les pâtisseries, les craquelins et les margarines hydrogénées. Les gras trans sont encore plus nocifs pour la santé que les gras saturés, car ils diminuent aussi la quantité de bon cholestérol HDL.

Comme chaque jaune d'œuf contient plus de 150 mg de cholestérol, les professionnels de la santé suggèrent aux patients souffrant de maladies cardiovasculaires de limiter leur consommation d'œufs à deux ou trois par semaine. Par contre, ces recommandations sont remises en question, car plusieurs

études montrent peu de relations entre le cholestérol alimentaire et l'incidence des maladies cardiovasculaires. D'ailleurs, une étude prospective chez 117 000 hommes et femmes en bonne santé n'a démontré aucun lien significatif entre la consommation d'œufs et les maladies cardiovasculaires. Enfin, l'American Heart Association rapporte que la consommation d'un jaune d'œuf par jour peut être acceptable, même pour des personnes ayant un cholestérol élevé, si la consommation des autres aliments riches en cholestérol, comme les fromages, la crème, le beurre et les viandes rouges est limitée.

D'autres études ont aussi constaté que la consommation d'aliments riches en cholestérol, mais pauvres en gras saturés et trans, tels les œufs, influence peu la santé cardiovasculaire. Enfin, comme le cholestérol des œufs n'a pas d'incidence sur la production de cholestérol sanguin, les personnes en bonne santé peuvent consommer sans problème l'équivalent de sept œufs par semaine, soit un œuf par jour.

Les œufs et le diabète

Dans deux articles publiés en 2008 dans l'*American Journal of Clinical nutrition*, on rapporte que le risque d'infarctus serait plus élevé chez les diabétiques grands consommateurs d'œufs. Ces résultats se maintiennent après avoir écarté d'autres facteurs de risque comme le manque d'exercice, le tabagisme et une consommation de fibres et de légumes peu élevée. Le cholestérol alimentaire des œufs pourrait engendrer un profil lipidique (quantité d'acides gras dans le sang) plus néfaste chez les diabétiques, contribuant ainsi à l'athérosclérose. Les malades diabétiques devraient donc discuter de leur consommation d'œufs avec leurs médecins.

Les œufs et les allergies

Les œufs sont une cause d'allergie, au même titre que le lait, les arachides et les crustacés. L'allergie aux œufs est causée par une réaction du système immunitaire à l'une des fractions protéiques contenues dans le blanc. Voilà pourquoi il est recommandé de ne pas introduire le blanc d'œuf dans l'alimentation de l'enfant de moins d'un an. Chez d'autres, l'allergie est causée par les protéines contenues dans le jaune. Ses principaux symptômes sont des vomissements, une diarrhée, de l'asthme, une bronchite et souvent des problèmes d'éruptions cutanées.

La solution pour les personnes allergiques est d'exclure de leur alimentation tous les aliments ou produits qui contiennent des œufs, de même que les aliments qui ont été en contact avec des œufs. Heureusement, l'allergie aux œufs disparaît chez la majorité des enfants après l'âge de cinq ans. Par contre, quand l'allergie est grave, elle peut se prolonger tout au long de la vie.

Les œufs et les infections

Les œufs peuvent être contaminés par des bactéries ou des virus (par exemple, la salmonelle et le virus H5N1). Pour y remédier, l'Office canadien de commercialisation des œufs s'efforce d'améliorer les défenses naturelles de l'œuf. Même si les risques d'infection à la salmonelle sont minimes, Santé Canada recommande aux femmes enceintes, aux personnes âgées, aux très jeunes enfants et aux personnes affaiblies à la suite d'une maladie de faire cuire les œufs jusqu'à ce que le blanc et le jaune aient une consistance solide avant de les consommer.

Les œufs et la femme enceinte

La choline joue un rôle important dans le développement de la fonction cérébrale. Pour assurer le développement du cerveau et de la mémoire du fœtus, les femmes enceintes doivent consommer suffisamment de choline tout au long de leur grossesse. Un œuf de calibre gros fournit 215 mg de choline, soit la moitié de l'apport quotidien recommandé.

Les œufs pour les gens actifs

Les œufs, source de protéines de qualité, permettent de faire le plein de vitalité. En effet, chaque œuf renferme 6 g de protéines, soit 3 g dans le jaune et 3 g dans le blanc. Ce sont des protéines dites complètes, car elles contiennent les 9 acides aminés essentiels que le corps ne peut fabriquer naturellement. Il est donc l'aliment idéal pour les gens qui pratiquent des sports d'action et dont les besoins en protéines sont élevés.

Les œufs et les régimes

Une récente étude a démontré que des adultes obèses qui mangent des œufs au petit-déjeuner perdent du poids de façon plus efficace et se sentent plus énergiques que ceux qui mangent du pain grillé. La raison est que les protéines de l'œuf régularisent la vitesse d'absorption de l'énergie fournie par les aliments consommés au cours du repas et calment la faim plus longtemps. Le besoin de grignoter entre les repas se fait alors moins sentir, le niveau d'énergie demeure stable plus longtemps et la concentration est meilleure.

Portrait de l'œuf

Par Céline Lacerte

L'ŒUF EST MULTIPLE, VARIÉ ET MAGIQUE. SOUFFRE-T-IL DE PERSONNALITÉ MULTIPLE ?

Embryon, cellule reproductrice, symbole de la création, aliment de choix de la soupe au dessert, inspiration artistique, œuvre d'art, médium en peinture, produit en cosmétologie, mais également mystère d'une vie cachée… Ou encore souffre-t-il d'ambivalence ? Il est fermé sur lui-même et il offre une promesse de vie. Il rappelle la position du fœtus dans le ventre de sa mère et celle des morts dans les tombeaux primitifs. Emblème d'immortalité lorsqu'il se retrouve dans les sépultures ou encore de fécondité au printemps lorsque les femmes portent des œufs de la déesse de la fertilité. Peut-être correspond-il tout simplement à la fragilité exprimée dans ce proverbe chinois : « Quand la pierre tombe sur l'œuf, pauvre œuf ! Quand l'œuf tombe sur la pierre, pauvre œuf ! », alors qu'au contraire, comme le dit Edmond Rostand, « l'œuf à l'air d'être en marbre avant d'être cassé. »

Toutes ces descriptions contradictoires ne l'empêchent pas d'être simple comme l'œuf de Christophe Colomb. Revenu du nouveau continent et critiqué sur la facilité de cette expédition, Christophe Colomb lance un défi à ses détracteurs, soit celui de faire tenir un œuf debout sur la pointe. L'aventurier prend alors un œuf dur, écrase son extrémité et le pose sur la table.

« Quoi de plus facile ? » de répondre ses adversaires, et Colomb de répliquer : « Mais encore fallait-il y penser. » Ainsi, chaque difficulté a une issue évidente et la solution s'assimile à l'œuf de Christophe Colomb, une trouvaille ingénieuse.

Un survol des origines de l'œuf, des légendes et des croyances l'entourant permettent de saisir davantage sa symbolique et toute la place qu'il occupe dans nos vies. Perçu comme un aliment magique dans le passé, l'œuf est aujourd'hui un aliment ordinaire et fait partie du quotidien. Malgré tout, il demeure une source d'inspiration artistique.

L'œuf et les origines

L'œuf est associé à la création de l'Univers et à la vie nouvelle. Le monde est-il né d'un œuf ? Une question philosophique posée à de multiples reprises par différents auteurs et chercheurs. La théorie de la naissance du monde à partir de l'œuf appartient à plusieurs populations à travers la planète. Il est compréhensible que les civilisations anciennes aient cru que l'œuf expliquait le commencement du monde puisqu'il évoque bien les 4 éléments : la coquille est la terre, la chambre à air, l'atmosphère, le blanc représente l'eau alors que le jaune symbolise le feu. Mais les explications par de nombreuses légendes varient selon les civilisations.

Pour les Égyptiens, l'œuf est responsable de la création du Soleil et de la Lune, alors que pour les Phéniciens, un gros œuf s'est partagé pour former le ciel et la Terre. D'après les Chinois, l'Univers est sorti d'un œuf craché par un dragon, le jaune représentant la Terre et le blanc le paradis. Selon les Babyloniens, l'œuf a été trouvé par des poissons et confié à une colombe ; pour les Maliens, l'Univers a été créé à la suite de l'explosion d'un œuf en vingt-deux morceaux et les Incas sont convaincus de l'envoi par le dieu Soleil de trois œufs, dont un en or d'où sont sortis les nobles, un en argent donnant naissance aux femmes et un en cuivre pour le peuple. Pour les Hindous, l'homme primordial est sorti de l'œuf.

La légende finlandaise de *Kalevala* est cependant la plus jolie : une vierge, maîtresse de l'eau, endormie au fond de l'eau, laisse dépasser son genou à la surface ; un canard, maître de l'air, vient y déposer six œufs en or et un en fer. Apeurée, la vierge plonge, les œufs se brisent et se métamorphosent. L'un, devient le ciel, l'autre le Soleil, certains se transforment en étoiles, d'autres en nuages et un autre prend la forme de la Lune.

Mais qui a foulé la terre en premier, la poule ou l'œuf ? La poule qui a pondu l'œuf ou l'œuf puisque la poule sort de l'œuf ? La question n'a pas encore été tranchée. Lors de l'apparition des premiers êtres vivants unicellulaires, il y a des milliards d'années, ceux-ci ont commencé à se multiplier en d'autres cellules unicellulaires.

Puis, sans qu'on puisse l'expliquer, deux cellules se sont unies et elles ont produit une troisième entité, soit la cellule œuf. À partir de cette dernière, le cycle se répète et tout recommence. S'agit-il d'une cellule poule ou d'une cellule œuf ? « Est-ce l'œuf le père de la poule ou la poule la mère de l'œuf ? », comme le dit avec humour Raymond Devos. La question demeure.

Les croyances liées à l'œuf

« *Danser au milieu d'un champ d'œufs en évitant d'en casser un est signe d'un mariage amoureux.* »

Marguerite d'Autriche et Philibert le Beau

Se greffent aux légendes, toute la symbolique de l'œuf et les croyances qui y sont liées. Chez les Gaulois, les druides attribuent des qualités merveilleuses aux œufs de serpent ; ils les croient faits de la bave que les serpents jettent après s'être enlacés et les assimilent à un symbole de fertilité et de renouveau. On retrouve cette symbolique en Chine, où la tradition veut que l'on donne des œufs peints à ses amis pour favoriser la fertilité. En France, les jeunes mariés cassent un œuf devant la porte de la maison pour s'assurer d'avoir beaucoup d'enfants. Perçus comme aphrodisiaques en Europe centrale, les œufs sont répandus sur les labours des terres de fermiers afin d'améliorer la récolte.

Dans de nombreux peuples, l'œuf est utilisé pour lutter contre le Mal. Chez les Mayas, l'œuf est réputé avoir des pouvoirs magiques ; à plusieurs reprises, le sorcier passe un œuf devant le visage d'une personne possédée, puis il le casse, observe le jaune, symbole de l'œil du Mal, et le brûle dans un endroit secret afin que disparaisse la malédiction.

Sous l'Empire ottoman, lors de la construction des mosquées, des œufs d'autruche sont suspendus pour éloigner les araignées et éviter qu'elles tissent leur toile entre les lanternes. En Ukraine, la légende des œufs peints, appelée la *pysanka,* veut qu'une créature maléfique soit enchaînée à une falaise ; plus le nombre de pysanki est important, plus les chaines se resserrent autour du monstre et font triompher l'amour sur la haine. S'il y a peu de pysanki, le Mal se répand sur la Terre.

L'œuf et la cuisine à travers les âges

> « L'œuf est à la naissance de toutes les cuisines, on peut tout lui demander. »
>
> Jean-François Piégé

Il est presque impossible de cuisiner sans les œufs. L'œuf est aussi fondamental en cuisine que le sel, le poivre ou encore l'huile. L'œuf entier, la sélection de son jaune, la préférence de son blanc, l'œuf frais, brouillé ou cuit dur, sous toutes ses formes, de l'apéritif au dessert, il prend place sur nos tables. Il contient tout ce qui est essentiel et il est une source exceptionnelle de nutriments.

Dans l'Antiquité, tous les œufs de n'importe quelle espèce pondeuse servent de nourriture. Tandis que les Phéniciens consomment des œufs d'autruche, les Romains se régalent des œufs de paon bleu, les Chinois dévorent les œufs de pigeon et les Occidentaux se rassasient des œufs de poule, de caille et de cane. Les auteurs ne s'entendent pas sur les dates exactes de la domestication des ancêtres de la poule. On sait qu'elle a eu lieu après la dernière période de glaciation, une fois que l'Homme s'est sédentarisé et installé dans des huttes. Selon les écrits indiens, la poule est déjà domestiquée en 3200 av. J.-C. D'après certains documents historiques égyptiens et chinois, les poules pondent des œufs pour les humains dès l'an 1400 av. J.-C. Pour les Grecs de l'Antiquité, la poule est considérée comme une viande de luxe réservée aux dieux lors des sacrifices rituels et la consommation des œufs n'a lieu qu'à partir du IVe siècle av. J.-C. Durant ce siècle, l'Église catholique interdit la consommation d'œufs pendant les 40 jours du carême ; ces derniers sont alors entassés, puis donnés aux enfants.

Savez-vous que sous la loi du Carême de Charlemagne, tout chef lombard surpris à manger un œuf a la tête tranchée ?

Au Moyen Âge, autant les gens de la ville que de la campagne consomment cette source de protéine qui est moins dispendieuse que la viande. Par ailleurs, étant considéré comme gras, l'œuf est interdit par la religion durant les jours maigres

(plus de 160 jours par année). L'interdiction de consommer des œufs en fait un aliment convoité à Pâques et fait naître la tradition de décorer les œufs et de les offrir en cadeaux. Comme les poules ne suivent pas le calendrier liturgique, les œufs s'accumulent et, pour éviter de les perdre, on les conserve dans de la graisse ou de la cire, mélangée à de la cendre, du sable ou de la sciure, jusqu'à Pâques. Ils sont alors décorés ou ils sont dégustés en omelette. Les fidèles partagent une omelette pour se protéger des maladies et écrasent les coquilles pour éloigner tout mauvais sort.

Il est rapporté que Louis XIV raffole tellement des œufs qu'il mange six œufs durs à la fin de chaque repas. Quant à la coutume des œufs de Pâques, elle est certifiée à la Cour de France ; le souverain les recouvre de feuilles d'or, les fait bénir et les offre à sa famille et à ses amis. Il distribue aussi des œufs peints et gravés à ses courtisanes. Jusqu'à la Révolution, l'œuf est l'apanage de la Cour et l'œuf le plus gros revient de droit au roi.

Au XVIIIe siècle, sous Louis XV, un maître d'hôtel du nom de Menon écrit dans son *Nouveau Traité de la cuisine* que « l'œuf est un excellent aliment, nourrissant, que le sain, le malade, le pauvre et le riche partagent ensemble. » À cette époque, chaque Français mange en moyenne 60 œufs par an. Louis XV adore les œufs à la coque et l'histoire le rend responsable d'avoir développé l'aviculture à Versailles ; ce roi a même fait installer des poulettes dans les greniers.

À cette époque, la façon la plus populaire et sécuritaire de cuire les œufs est de les placer dans des cendres chaudes. Dans son grand dictionnaire de la cuisine, Alexandre Dumas suggère d'enterrer les œufs dans des cendres de bois neuf mêlées à des branches de genévrier, de laurier et autres bois aromatiques et à du sable sec et fin. C'est aussi durant ce siècle qu'on décide de vider un œuf frais et de le remplir de chocolat.

La consommation d'œufs au Québec

« Dans ce pays qui était comme un œuf. »

Raoul Duguay

Au milieu du XVe siècle, l'œuf voyage d'Europe en Amérique avec Christophe Colomb. La poule est choisie pour être domestiquée grâce à la régularité de sa ponte. Au Québec, la première importation de volailles est organisée en 1541, par les Français Roberval et Cartier, à Cap-Rouge, et la seconde importation a lieu en 1608. Champlain renouvelle le cheptel et, en 1650, chaque maison garde un coq et de six à sept poules. L'alimentation des premiers colons se résume à peu de choses : grains et légumes, produits d'élevage, œufs et produits de la chasse et de la pêche.

Les œufs sont omniprésents dans la préparation culinaire, même si le climat provoque un arrêt de la ponte en hiver, la lumière du jour étant plus rare. Il est alors difficile et périlleux de conserver les œufs et de les consommer. Sur 50 douzaines d'œufs ramassées pour l'hiver, il n'en reste que quatre qui sont mangeables. Le vernissage des coquilles ou l'application d'une couche de suif s'avère la meilleure méthode de conservation et semble être la norme en Nouvelle-France.

Les œufs de poule, de pigeon, d'oie ou de canard sont consommés en omelette, à la coque ou durs. Les Autochtones ne mangent pas d'œufs mollets, alors que les Français les adorent. La cuisine française a un apport important dans les habitudes alimentaires des Québécois et la conquête britannique bouleverse la vie gastronomique de nos ancêtres en apportant plus de privation et de pauvreté. Mais, l'idée de manger des œufs au petit-déjeuner revient à la tradition anglaise.

Au XVIIIᵉ siècle, une nouvelle technique d'éclosion, le couvoir de Réaumur, augmente le cheptel de la basse-cour et, en 1754, s'ouvre le premier couvoir québécois. Il ne s'agit toutefois pas encore d'un élevage commercial, mais d'un élevage traditionnel. Même les communautés amérindiennes ont leur poulailler. L'œuf sous toutes ses formes domine les petits-déjeuners, de l'œuf miroir à l'omelette au lard. L'omelette est au répertoire de la nouvelle cuisine canadienne et elle apparaît à la carte dans les restaurants. Elle est aussi servie comme entremets sucré et l'omelette au rhum séduit les Canadiens.

Dans les années 1980, victime d'une croisade anti-gras, l'œuf perd de sa popularité. Sa richesse en cholestérol le condamne et fait chuter les ventes. Des épidémies de salmonellose ajoutent à cette perte d'intérêt. Mais, par la suite, des études démontrant que l'œuf constitue un excellent aliment redorent son blason.

Aujourd'hui, les œufs sont présents dans 97 % des foyers canadiens, qui consomment chacun en moyenne 187 œufs par année. Ce chiffre est nettement inférieur à la consommation annuelle au Mexique, au Japon et en Chine qui dépasse 300 œufs par habitant par année. Au Québec, plus d'un milliard d'œufs sont consommés chaque année. La quantité nécessaire à la population est produite par une centaine d'agriculteurs.

La production des œufs

« Le passé est un œuf cassé, l'avenir est un œuf couvé. »

Paul Éluard

La production avicole dans de grands bâtiments ultramodernes où se retrouvent des milliers de poules et où tout se fait automatiquement cherche à assurer une meilleure rentabilité. Par ailleurs, la confrontation de ce type de production à celui de la poule en liberté fait réfléchir le consommateur. Le questionnement de savoir si l'œuf provient d'une poule heureuse en liberté ou d'une poule recluse dans un espace restreint sans lumière du jour n'est pas nouveau. Les observations d'Alexandre Dumas, l'auteur des *Trois Mousquetaires*, sur le goût différent et plus savoureux de l'œuf d'une poule qui court dans un jardin, l'avait déjà confirmé. La recherche de la production maximale et de la rentabilité est remise en question. À preuve, en Europe, les cages traditionnelles sont maintenant interdites et le sort des poules pondeuses s'améliore. Les villes de New York, Seattle, Chicago et Los Angeles sont des pionnières dans l'autorisation d'élever des poules en ville et le mouvement prend de l'ampleur. Au Québec, les progrès sont plus timides et l'évocation de la poule urbaine ne fait pas l'unanimité. En juillet 2010, le collectif le *Crapaud* a lancé une pétition pour lever l'interdiction de l'élevage de poules par des citadins, en vigueur à Montréal depuis 1956. Un seul arrondissement a émis une dérogation pour un poulailler éducatif et il s'agit d'un projet pilote pour une année.

Les exigences du respect du mode de vie naturel des gallinacés jouent un rôle dans la qualité et la quantité des œufs produits et consommés. Tout comme Jean de la Fontaine l'écrit dans sa fable *La Poule aux œufs d'or*, serons-nous aveuglés par la rentabilité à tout prix ? S'ajoutent à cela, les défenseurs de la protection du droit des animaux et leur bataille contre l'enfer aviaire. Le refus de consommer des œufs pour des raisons d'éthique animale compromettra-t-il l'avenir des œufs ? Espérons que non ! L'œuf est un élément indispensable et a le potentiel de nourrir les plus affamés ; ce court poème de Jacques Prévert l'illustre très bien.

« Il est terrible
Le petit bruit de l'œuf dur cassé
sur un comptoir en étain
Il est terrible ce bruit
Quand il remue
dans la mémoire de l'homme
Qui a faim. »

L'œuf et l'art

> *« La simplicité est la complexité résolue. »*
>
> Constantin Brancusi

L'œuf n'est pas seulement associé à la cuisine, il est aussi lié à l'art. En effet, qu'il soit sculpté, peint, décoré ou gravé, l'œuf attire l'attention de nombreux artistes et plusieurs œuvres d'art sont construites autour de lui. Selon, une revue française, *L'œuf sauvage*, il est le signe le plus représenté sur tous les continents. D'une forme parfaite, il est une source d'inspiration artistique en peinture, sculpture, architecture et littérature.

Sans faire une liste exhaustive de toutes ses représentations artistiques, soulignons celles qui nous semblent les plus significatives. La nouvelle salle de concert de Beijing, communément appelée « l'œuf », remplit pleinement ces critères. Ce magnifique œuf de verre et de titane émerge d'un bassin artificiel et évoque le yin et le yang. Tout aussi énigmatique que l'œuf, cette création simple de l'extérieur est dotée d'une richesse intérieure démesurée.

Une autre réalisation magistrale de la symbolique de l'œuf peut être admirée dans la production artistique de Constantin Brancusi. Dans son œuvre, *Le commencement du monde,* ce sculpteur roumain représente le monde par un œuf en marbre sur un socle de métal incitant le spectateur à découvrir la véritable essence des choses et pas seulement leur apparence.

S'il fallait ne citer qu'un peintre qui a incorporé l'œuf dans ses tableaux, Salvador Dalí arriverait en tête de liste. L'œuf est un thème cher à cet artiste catalan qui l'assimile l'œuf aux images prénatales et à l'univers intra-utérin. À titre d'exemple, ses toiles *L'œuf sur le plat sans le plat* et *La métamorphose de Narcisse* montrent l'image de l'œuf comme signe de renouveau. Une autre démonstration réside dans son Théâtre-Musée à Figueras en Espagne. Exhibés fièrement, des œufs géants ornent le pourtour supérieur de ce temple dalinien et témoignent de l'intérêt de l'artiste pour cet emblème de vie. Pour amplifier, un œuf doré posé sur un socle, à l'image du peintre, décore l'entrée du théâtre.

Plusieurs autres artistes ont conçu certains de leurs tableaux autour de l'œuf autant pour figurer la naissance, représenter le menu quotidien de l'époque ou exprimer leurs interrogations. Comment ne pas penser au peintre surréaliste René Magritte et aux impressionnistes Claude Monet et Paul Cézanne. Également, Jean-Siméon Chardin, un peintre français, évoque la place de l'œuf dans le repas quotidien dans la toile *Le menu de maigre.* Au XVIIe siècle, la religion impose un menu plus austère et l'œuf fait partie des repas simples et est un aliment de convalescence.

Et que dire du mystérieux flamand Jérôme Bosch, ce peintre de l'absurde qui utilise l'œuf philosophique comme image de la satire de l'alchimie. Dans son célèbre tryptique, *Le Jardin des délices,* un moine, des religieuses, des chanteurs et musiciens sont réunis dans un monstre en forme de coquille d'œuf posée sur l'herbe. C'est la représentation de la condition humaine au bord du précipice.

Non seulement les artistes se sont-ils inspirés des œufs dans la réalisation de leur œuvre, mais ils ont également décoré ses lignes épurées. Les œufs peints et décorés remontent au temps préhistorique. Retrouvés dans des tombes royales, ils étaient placés sur les sépultures comme une promesse de résurrection. Dans le tombeau de la reine Subad, qui mourut il y a 6000 ans, un œuf d'autruche magnifiquement paré fut découvert parmi les trésors enfouis. Les rois offraient à leurs courtisanes des œufs peints par les artistes les plus célèbres de l'époque. Plus tard, des œufs en verre, en porcelaine ou en bois furent confectionnés ; ils étaient même ornés de pierres précieuses. Watteau, Bouchet et Lancret en ont fait des œuvres d'art. Carl Fabergé s'est bâti une réputation d'orfèvre en fabriquant ces œufs en pierres et métaux précieux pour les tsars russes. Alexandre III lui a commandé un œuf pour son épouse

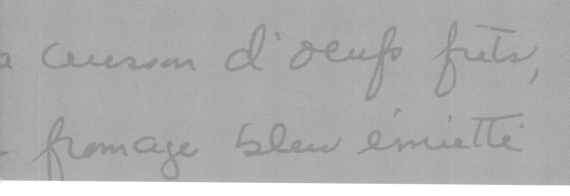

et a été tellement impressionné que Fabergé est devenu le fournisseur impérial. Savez-vous que 56 œufs fabriqués par Carl Fabergé composent la collection impériale russe ?

À l'ornementation avec des pierres précieuses, compétitionne l'art d'écrire ou de peindre des symboles sur des œufs recouverts de cire d'abeille fondue. C'est l'art ukrainien de la *pysanka* où les œufs décorés sont de petits chefs-d'œuvre.

Savez-vous que, les moines du mont Athos utilisent les coquilles et jaunes des œufs pour peindre leurs célèbres icônes ? Non seulement sujet d'inspiration artistique, l'œuf est aussi un médium important dans la réalisation des œuvres d'art. Cette procédure ancienne de la peinture à l'œuf, faite avec le contenu de l'œuf, a été employée en Égypte ancienne et en Grèce. Cette technique, appelée la *tempera*, a été perfectionnée par les peintres byzantins qui l'ont transmise aux empires oriental et russe. Comme en gastronomie, il existe autant de recettes de peinture à l'œuf que de recettes de cuisine. Les artistes primitifs italiens et les peintres de la Renaissance l'ont également utilisée jusqu'à l'avènement de la peinture à l'huile à la fin du xvᵉ siècle. Quoique la technique soit difficile et ardue, le jaune d'œuf permet d'obtenir des couleurs éclatantes, de respecter la fraîcheur des couleurs et l'effet de la texture donne une belle luminosité ; on peut le constater entre autres dans *Le printemps* de Botticelli ou encore dans *La famille sainte avec l'enfant Saint-Jean le Baptiste* de Michel-Ange.

En conclusion…

> « *Quand l'amour est neuf, quand il est dans l'œuf, il fait un effet bœuf !* »
>
> *Thomas Fersen*

Qu'il soit symbole de la création, œuf de Christophe Colomb, de Salvador Dalí ou de Jérôme Bosch, qu'il soit consommé de la soupe au dessert, qu'il soit un aliment essentiel, qu'il ait des qualités médicinales ou cosmétiques, qu'il soit objet de superstition, qu'il fasse la joie des enfants qui jouent encore à la chasse aux trésors le matin de Pâques, l'œuf est toujours associé à la vie nouvelle et au printemps et persiste à s'investir dans l'avenir !

Cuisiner les œufs

Par Yves Lamontagne

**L'ŒUF EST UN MERVEILLEUX ALIMENT DÉPAN-
NEUR QUI SE PRÉPARE EN UN TOURNEMAIN
ET QUI S'APPRÊTE DE MULTIPLES FAÇONS. IL
FAIT PARTIE INTÉGRANTE DE DIFFÉRENTES
SAUCES, DE NOMBREUX DESSERTS ET EST
UN INCONTOURNABLE DU BRUNCH.**

L'achat des œufs

Au Canada, les œufs vendus en épicerie
sont de catégorie A. Les œufs de catégorie B
sont surtout utilisés en pâtisserie ou pour
la fabrication industrielle de produits à base
d'œufs. Quant aux œufs de catégorie C, ils
sont transformés en œufs liquides congelés
ou en poudre qui serviront ensuite à la fabrication de pâtisseries, de mayonnaise, etc.

En ce qui concerne la taille de l'œuf, il
existe un classement selon le poids des
œufs de catégorie A : Pee-wee (moins de
42 g), Petit (42 à 48 g), Moyen (49 à 55 g),
Gros (56 à 63 g), Extra gros (64 à 69 g) et
Jumbo (plus de 69 g). Pour cuisiner, certains
suggèrent de n'acheter que des œufs de
calibre moyen puisqu'ils sont souvent moins
chers et ne modifient aucunement les
recettes.

La conservation des œufs

Afin de garder la fraîcheur des œufs, il est
suggéré de n'acheter que la quantité nécessaire à notre consommation pour une à
deux semaines. Il faut les ranger dans leur
boîte, au centre du réfrigérateur, car un œuf
perdra autant de fraîcheur en une heure
sur le comptoir qu'en une journée au frais.
Il n'est pas recommandé de les placer dans
la porte du réfrigérateur dans l'espace prévu
à cet effet, car lorsque la porte s'ouvre la
variation de température réduit leur durée
de conservation.

Enfin, pour vérifier la fraîcheur des œufs, on
peut les mettre dans un récipient d'eau
froide ; ceux qui ne seront plus très frais
flotteront, alors que les œufs frais se dépo-
seront au fond.

Les techniques de cuisson des œufs

Passons maintenant brièvement aux différentes façons de faire cuire des œufs.

> Les œufs sur le plat et les œufs frits

Les œufs sur le plat sont également nommés
œufs au miroir. Pour les préparer je verse
un peu de beurre ou d'huile d'olive dans
une poêle antiadhésive et la fais chauffer
à feu moyen. J'y dépose l'œuf et, dès que
le blanc d'œuf coagule, je baisse le feu et
laisse mijoter jusqu'à la consistance désirée.

Si je veux préparer un œuf frit, j'utilise de
l'huile d'olive et je rabats le blanc de l'œuf
sur le jaune au cours de la cuisson.

Il est également possible d'utiliser le four
pour cuire des œufs sur le plat. Il suffit
alors de casser un œuf dans un plat préalablement beurré.

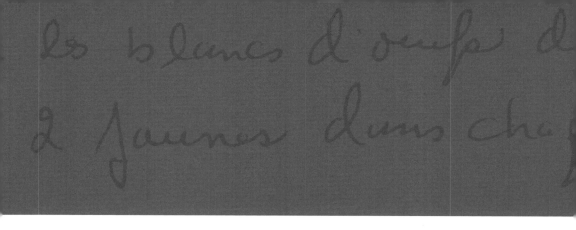

> Les œufs pochés

J'ai eu longtemps de la difficulté à faire des œufs pochés. J'ai réglé mon problème en achetant une petite pochette de caoutchouc appelée poachpod®. Je fais bouillir 4 cm (1 ½ po) d'eau dans une casserole et je baisse le feu. Je casse l'œuf dans la pocheuse que j'ai préalablement badigeonnée avec un peu d'huile d'olive et je la dépose dans l'eau frémissante. Après 4 à 6 minutes, je retire la poche et je décolle doucement l'œuf à l'aide d'une petite cuillère. Ça réussit à tout coup, mais ça prend un peu plus de temps et l'œuf est plus dur que lorsqu'il est cuit de façon traditionnelle.

Plus récemment, j'ai acheté une pocheuse à œufs en acier inoxydable. Pour l'utiliser, il suffit de verser de l'eau dans la poêle de la pocheuse et de déposer la grille trouée par-dessus les six godets pochoirs. Une fois que l'eau bout, je baisse le feu et je casse des œufs dans chacun des godets, puis je laisse cuire 3 à 4 minutes avant de décoller les œufs. Mes résultats sont meilleurs avec la pocheuse qu'avec la poachpod®.

Après plusieurs essais avec la poachpod® et la pocheuse à œufs, j'ai finalement réussi à préparer des œufs pochés avec la méthode plus conventionnelle. Je remplis une casserole d'eau et j'ajoute une ou deux cuillères à soupe de vinaigre blanc. Je chauffe l'eau jusqu'à ce qu'elle frémisse. Je verse chaque œuf dans une tasse à mesurer et je le fais glisser dans l'eau, le plus près possible de sa surface. Je laisse cuire pendant 3 à 4 minutes, jusqu'à ce que le jaune soit recouvert d'une mince couche de blanc. À l'aide d'une écumoire, je retire les œufs un à un et les dépose soit sur une rôtie ou sur un muffin anglais.

Une autre technique pour déposer les œufs dans l'eau est de la faire tourbillonner lentement et de déposer l'œuf dans le vortex ainsi créé.

> Les œufs cocotte

Pour préparer les œufs cocotte, je préchauffe le four à 200 °C (400 °F) et place la grille au centre. Je casse un œuf dans un ramequin et l'agrémente de différents ingrédients. Je dépose ensuite le ramequin dans un plat à cuisson à bords hauts et verse de l'eau bouillante dans le plat jusqu'à mi-hauteur du contenant. Je laisse l'œuf cuire entre 15 et 20 minutes. Il est prêt lorsque le blanc est coagulé mais que le jaune est encore liquide.

Pour que le jaune ne durcisse pas, on peut ajouter une noix de beurre dessus avant la cuisson.

> Les œufs durs

À l'occasion et surtout l'été, je fais cuire des œufs durs pour les servir en sandwichs, pour les intégrer à une salade ou pour les manger avec des rôties.

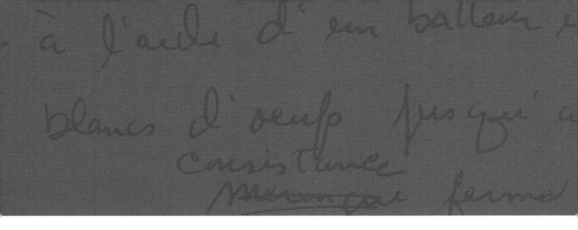

Je remplis une casserole avec suffisamment d'eau pour recouvrir les œufs, je fais chauffer l'eau jusqu'à ébullition, puis j'ajoute une pincée de sel ou une cuillère à thé de vinaigre. Cette opération permet de limiter les dégâts si l'œuf craque lorsqu'on le dépose dans la casserole, car le blanc coagulera immédiatement sur la coquille en la scellant, évitant ainsi qu'il se répande dans l'eau. L'autre technique consiste à percer un trou dans la pointe la plus large de la coquille à l'aide d'un pique-œuf. Lors de la cuisson, l'air s'échappe par le trou et la coquille ne se fendille pas. Je dépose ensuite délicatement les œufs dans l'eau à l'aide d'une écumoire et les laisse cuire entre 10 et 15 minutes. Puis, à la fin de la cuisson, je les retire un à un de l'eau et les passe à l'eau froide avant de les écaler. La coquille s'enlève plus facilement en commençant par l'extrémité la plus grosse de l'œuf.

Plus la durée de cuisson est importante, plus le blanc et le jaune de l'œuf durcissent. Au bout de 3 à 4 minutes de cuisson, le blanc de l'œuf commence à coaguler et le jaune est encore liquide, on obtient alors un œuf à la coque. En laissant cuire l'œuf 6 à 9 minutes, on obtient un œuf mollet dont le blanc est solide et le jaune coulant. Enfin, après 10 minutes de cuisson, le blanc et le jaune sont fermes, l'œuf est cuit dur. Il est à noter que les œufs durs peuvent être conservés jusqu'à une semaine au réfrigérateur.

> Les œufs brouillés

Tout comme pour les œufs sur le plat, je mets à chauffer de l'huile d'olive à feu moyen dans une poêle antiadhésive. Je casse les œufs dans un bol et les brasse à l'aide d'un fouet. J'y ajoute un peu de crème de table à 15 % de M.G., ainsi que divers ingrédients tels que du fromage râpé (cheddar, parmesan, etc.), des oignons, des poivrons, des champignons… bref, tout ce qui me plait. Je dépose le tout dans la poêle et je brouille les œufs à l'aide d'une cuillère en bois jusqu'à ce qu'ils soient consistants, mais pas trop, car le mélange devient plus sec et est moins bon.

> Les omelettes

Je ne suis pas un amateur d'omelettes, mais j'en cuisine à l'occasion pour un souper rapide quand je suis seul ou lorsque des amis viennent bruncher après une partie de tennis. Je les prépare comme mes œufs brouillés, en incorporant aux œufs battus toutes sortes de garnitures (fines herbes, légumes, viande, fromage, etc.) cuites préalablement lorsque c'est nécessaire. Je fais ensuite chauffer de l'huile d'olive dans une poêle antiadhésive et j'y dépose le mélange. Je cuis le tout à feu moyen et, à mesure que l'œuf coagule, je le décolle du bord des parois en allant vers le centre avec une cuillère en bois. Je laisse cuire le tout 2 à 3 minutes selon la consistance désirée. Personnellement, je préfère les omelettes baveuses, mais pour obtenir une omelette dorée des deux côtés, on peut la retourner en fin de cuisson.

Une autre technique de cuisson consiste à déposer la garniture sur l'omelette une fois que cette dernière est prise mais encore humide, avant de la rouler ou de la plier.

> Les œufs au micro-ondes

Il existe sur le marché des œufriers pour le micro-ondes qui sont faciles à utiliser. Il suffit de verser un peu de sel dans le fond du récipient, puis d'y casser un œuf. À l'aide d'une fourchette, on perce ensuite plusieurs fois le jaune et le blanc, on place le couvercle sur la base et on met le tout au four micro-ondes. Pour obtenir un œuf mollet, on cuit à température élevée pendant 30 secondes ou à température moyenne pendant 50 secondes et on laisse reposer 10 secondes avant de servir. Pour des œufs durs, on cuit à température élevée pendant 40 secondes et on laisse reposer pendant 30 secondes. Enfin, pour des œufs brouillés, on verse un œuf battu dans l'œufrier et on le cuit à température élevée pendant 35 secondes. À la moitié du temps, on mélange l'œuf à nouveau. Une fois cuit, on laisse reposer pendant 20 secondes et on mélange l'œuf encore une fois avant de le retirer de l'œufrier.

Les œufs sur le plat

Œuf aux champignons et au citron

POUR : **1 personne**
PRÉPARATION : **5 min**
CUISSON : **10 min**

15 ml (1 c. à soupe) de crème de table (15 % de M.G.)

Le jus d'un citron

Sel et poivre

1 tranche de pain

2 à 3 champignons blancs coupés en lamelles

1 œuf

15 ml (1 c. à soupe) de fromage râpé, au choix

Sel et poivre

* Préchauffer le four à 220 °C (430 °F).

* Dans un bol, mélanger la crème, le jus de citron et un peu de sel.

* Après avoir fait griller la tranche de pain, la déposer dans un plat à cuisson, la couvrir avec le mélange et la parsemer de champignons coupés en lamelles. Placer le tout au four pendant 5 à 6 min.

* Sortir du four et casser un œuf sur le pain et les champignons, parsemer de fromage râpé, replacer au four et laisser cuire pendant 3 min.

* Parsemer de poivre moulu et servir.

Œufs au beurre « noir »

POUR : **2 personnes**
PRÉPARATION : **5 min**
CUISSON : **5 à 7 min**

45 ml (3 c. à soupe) de beurre

2 œufs

Sel et poivre

15 ml (1 c. à soupe) de vinaigre de vin rouge

* Dans une poêle, faire fondre le beurre à feu moyen élevé jusqu'à ce qu'il devienne brun foncé (de 2 à 3 min).

* Casser aussitôt les œufs dans la poêle, baisser la température à feu moyen et laisser cuire jusqu'à la consistance désirée.

* Arroser les œufs avec le beurre noir, saler, poivrer et réserver.

* Faire bouillir le vinaigre de vin dans la poêle une quinzaine de secondes.

* Arroser les œufs avec le vinaigre et servir.

ŒUVRE DE **GEORGES GENDRON**

Œufs au bleu

POUR : **2 personnes**
PRÉPARATION : **5 min**
CUISSON : **3 à 4 min**

**15 ml (1 c. à soupe)
de beurre ou
d'huile d'olive**

2 œufs

**Environ 60 ml
(¼ tasse) de
fromage bleu
(Roquefort, Bleu
d'Auvergne, Bleu Alexis
de Portneuf) émietté**

Sel et poivre

* Dans une poêle, faire chauffer le beurre ou l'huile à feu moyen.

* Casser les œufs dans la poêle.

* Au cours de la cuisson, saupoudrer les œufs de fromage bleu.

* Laisser cuire le tout jusqu'à la consistance désirée. Saler, poivrer et servir.

LE PETIT GRAIN DE SEL

Savez-vous que le célèbre artiste dissident chinois Ai Weiwei a agi comme conseiller artistique et co-designer du *Niao Chao,* le stade national de Pékin en forme de nid d'oiseau pouvant recevoir un œuf. Symbole de prospérité, cette coquille transparente permet aux rayons de lumière de se réfléchir à l'extérieur.

Œuf en bagel de Maxime

POUR : **1 personne**
PRÉPARATION : **5 min**
CUISSON : **10 min**

**10 ml (2 c. à thé)
de beurre**

1 demi-bagel

1 œuf

Sel et poivre

**1 tranche mince
de jambon**

**15 ml (1 c. à soupe)
de fromage gruyère,
cheddar ou
mozzarella râpé**

* Beurrer un côté du demi-bagel et faire fondre le reste du beurre dans une poêle à feu moyen.

* Déposer le bagel du côté beurré dans la poêle et casser un œuf dans le trou.

* Placer un couvercle sur la poêle et laisser cuire jusqu'à ce que le blanc de l'œuf commence à agglutiner. Saler et poivrer.

* Déposer une tranche de jambon et le fromage râpé sur l'œuf.

* Recouvrir à nouveau et laisser fondre le fromage avant de servir.

LE PETIT GRAIN DE SEL

Savez-vous que, si vous trouvez un œuf de Pâques à deux jaunes, vous serez fortuné ?

Œufs salsa de Rosa

POUR : **4 personnes**
PRÉPARATION : **10 min**
CUISSON : **15 min**

POUR LA SAUCE SALSA

**4 tomatilles
(fruit mexicain de la
famille de la tomate)
coupées en dés**

**1 à 4 piments forts
(jalapeño ou
peperoncini, au goût)
coupés en
petits morceaux**

**4 gousses d'ail
écrasées et hachées**

**1 petit oignon
coupé en morceaux**

POUR LES ŒUFS

**45 ml (3 c. à soupe)
d'huile d'olive**

4 tortillas

4 œufs

Sel et poivre

PRÉPARATION DE LA SAUCE SALSA

✳ Disposer les tomatilles, les piments, l'ail et
l'oignon dans un mélangeur et les réduire en
purée. Réserver.

PRÉPARATION DES ŒUFS

✳ Dans une poêle, faire chauffer une partie de
l'huile d'olive et réchauffer les tortillas à feu
moyen, puis réserver.

✳ Ajouter de l'huile dans la poêle et y faire cuire
les œufs sur le plat, saler et poivrer, puis les
disposer sur les tortillas. Réserver au chaud.

✳ Ajouter à nouveau un peu d'huile dans la poêle,
y verser la sauce salsa et la faire chauffer
jusqu'à ce qu'elle épaississe.

✳ Couvrir les œufs de sauce salsa et servir.

ŒUVRE D'**ANDRÉ LABELLE**

Œuf de Robert Dubois

POUR : **1 personne**
PRÉPARATION : **2 min**
CUISSON : **3 min**

....
**15 ml (1 c. à soupe)
d'huile d'olive**
....
1 œuf
....
Sel et poivre
....
Sauce HP[MD]
....

* Dans une poêle, faire chauffer l'huile d'olive à feu moyen.

* Y casser l'œuf et le faire cuire sur le plat.

* Saler et poivrer.

* Disposer l'œuf dans une assiette et mettre un filet de sauce HP[MD] sur le blanc de l'œuf, autour du jaune, puis servir.

LE PETIT GRAIN DE SEL
....
Savez-vous qu'on a joué un concert dans un œuf ? Dans l'œuvre *Le concert dans l'œuf,* liée à Jérôme Bosch, joueur de luth et chanteurs, serpent, singe et voleur sont réunis dans un œuf ! L'œuf y symbolise les états de la création et présente une image diabolique du monde gouverné par les puissances du Mal.

Œufs préférés de Miori

POUR : **2 personnes**
PRÉPARATION : **10 min**
CUISSON : **15 min**

POUR LA SAUCE SALSA

15 ml (1 c. à soupe) d'huile d'olive

1 petit oignon haché

½ à 1 piment jalapeño coupé en petits morceaux

1 gousse d'ail écrasée et hachée

1 petit poivron coupé en morceaux

2 tomates coupées en dés

Sel et poivre

POUR LES ŒUFS

15 ml (1 c. à soupe) d'huile d'olive

2 petites tortillas

2 œufs

Sel et poivre

Coriandre fraîche

PRÉPARATION DE LA SAUCE SALSA

* Dans une poêle, faire chauffer l'huile à feu moyen et y faire revenir l'oignon 2 min.

* Ajouter les morceaux de piment jalapeño, l'ail et les morceaux de poivron et cuire 3 min. Ajouter les tomates coupées en dés et cuire encore 2 min.

* Saler, poivrer et passer le tout au mélangeur.

PRÉPARATION DES ŒUFS

* Dans une poêle, faire chauffer un peu d'huile d'olive et y réchauffer les tortillas à feu moyen, puis réserver.

* Cuire les œufs sur le plat dans la poêle. Saler et poivrer.

* Disposer les œufs sur chaque tortilla et les napper de sauce salsa.

* Ajouter la coriandre fraîche sur la salsa avant de servir.

en Jeu de fromage
Crème fraîche.
Enfin déposer en
ramequins qu...

Sandwich à l'œuf frit et au curcuma

RECETTE OFFERTE PAR **VÉRONIQUE CLOUTIER**

POUR : **2 personnes**
PRÉPARATION : **5 min**
CUISSON : **5 à 7 min**

....

**4 tranches de
pain multigrain**
....
**15 ml (1 c. à soupe)
d'huile d'olive**
....
2 œufs
....
**5 ml (1 c. à thé) de
curcuma en poudre**
....
Sel et poivre
....
**2 à 6 tranches de
fromage à pâte dure
de type cheddar
ou emmenthal**
....
**20 ml (4 c. à thé)
de mayonnaise**
....
**1 petite tomate
coupée en tranches**
....

FACULTATIF
....
**2 feuilles de laitue ou
4 tranches d'avocat**
....

* Mettre les tranches de pain à griller.

* Dans une poêle, faire chauffer l'huile d'olive à feu moyen et y casser les œufs.

* Percer le jaune et, une fois que le blanc a suffisamment coagulé, retourner l'œuf à l'aide d'une spatule, puis éteindre le feu.

* Parsemer les œufs de curcuma et d'un peu de sel et de poivre.

* Disposer aussitôt les tranches de fromage sur les œufs pour qu'elles fondent.

* Tartiner le pain de mayonnaise et déposer les tranches de tomate sur 2 des tranches de pain.

* À l'aide de la spatule, déposer les œufs frits recouverts de fromage sur les tomates, fermer les sandwichs avec les tranches de pain restantes et servir.

* Pour ajouter un peu de verdure à ce sandwich coloré, on peut l'agrémenter de feuilles de laitue ou de tranches d'avocat.

Œufs à l'italienne d'Aïsha

POUR : **4 personnes**
PRÉPARATION : **5 min**
CUISSON : **10 min**

4 tranches de pain

4 tranches minces de jambon cuit

30 ml (2 c. à soupe) de beurre ou d'huile d'olive

4 œufs

Sel et poivre

250 ml (1 tasse) de sauce à spaghetti

60 ml (¼ tasse) de fromage mozzarella en brique, parmesan ou romano, râpé

∗ Après avoir fait griller les tranches de pain, y déposer le jambon.

∗ Dans une poêle, faire chauffer l'huile ou le beurre à feu moyen et y faire cuire les œufs sur le plat. Saler et poivrer.

∗ Une fois cuits, disposer les œufs sur le jambon.

∗ Faire chauffer la sauce à spaghetti, en napper les œufs, puis parsemer de fromage râpé.

∗ Faire gratiner au four et servir.

LE PETIT GRAIN DE SEL

Comment ne pas fredonner *Egg generation* de Robert Charlebois ou *La cane de Jeanne* de Georges Brassens en expérimentant une des recettes suggérées ?

« En tant que fermier urbain, j'élève des poules en ville. Certaines d'entre elles pondent des œufs à la coquille verte ou brune ! Ça peut être surprenant, mais ces œufs sont tout aussi délicieux que les autres. Ils conviennent parfaitement à la recette de Pizza all'uovo, qui, selon moi, est une façon vraiment originale de présenter les œufs. »

Ricardo

Pizza all'uovo

RECETTE OFFERTE PAR **RICARDO**

POUR : **4 personnes**
PRÉPARATION : **15 min**
CUISSON : **10 min**

POUR L'HUILE ASSAISONNÉE

45 ml (3 c. à soupe) d'huile d'olive

1 échalote française hachée finement

1 petite gousse d'ail hachée finement

1 pincée de flocons de piment fort broyé

Sel et poivre

POUR LA PIZZA

1 boule de pâte à pizza de 454 g (1 lb) du commerce ou maison

1 boîte de 540 ml (19 oz liq) de tomates en dés, égouttées

8 tranches de prosciutto émincées

1 pot de 170 ml (6 oz liq) de cœurs d'artichauts marinés, égouttés et coupés en fins quartiers

250 ml (1 tasse) de fromage parmigiano reggiano râpé

4 œufs

Sel et poivre

* Placer la grille dans le bas du four. Y déposer une pierre à pizza ou une plaque à cuisson à l'envers. Préchauffer le four à 260 °C (500 °F).

PRÉPARATION DE L'HUILE ASSAISONNÉE

* Dans un bol, mélanger tous les ingrédients. Saler, poivrer et réserver.

PRÉPARATION DE LA PIZZA

* Séparer la pâte en quatre. Sur un plan de travail fariné, l'abaisser finement pour obtenir quatre croûtes d'environ 20 cm (8 po) de diamètre.

* Saupoudrer un peu de farine de maïs sur la pierre chaude et sur la planche à pizza. Déposer une pâte à la fois sur la planche.

* Y répartir le quart de l'huile assaisonnée, des tomates, du prosciutto, des artichauts et du fromage.

* Glisser les pizzas sur la pierre chaude.

* Casser un œuf au centre de chaque pizza.

* Cuire de 8 à 10 min ou jusqu'à ce que la pâte soit bien dorée et que le blanc de l'œuf soit cuit. Au besoin, terminer la cuisson sous le gril.

* Saler, poivrer et servir.

Les œufs pochés

Œufs aux épinards

POUR : **4 personnes**
PRÉPARATION : **5 min**
CUISSON : **15 min**

**30 ml (2 c. a soupe)
de vinaigre blanc**

4 œufs

**15 ml (1 c. à soupe)
d'huile d'olive**

**1 gousse d'ail écrasée
et finement hachée**

**1 paquet d'épinards
(300 g/10 oz)**

Sel et poivre

**1 sachet de
sauce au fromage
instantanée Knorr®**

4 tranches de pain

* Remplir une casserole d'eau et ajouter le vinaigre blanc. Chauffer jusqu'à frémissement et y déposer les œufs un à un. Laisser cuire de 3 à 4 min jusqu'à ce que le jaune soit recouvert d'une pellicule blanche. Prélever les œufs avec une cuillère à égoutter et réserver.

* Dans une grande poêle, faire chauffer l'huile d'olive à feu moyen. Ajouter l'ail et cuire pendant 1 min. Puis ajouter les épinards et cuire environ 3 min, jusqu'à ce qu'ils ramollissent. Saler, poivrer, mélanger le tout et réserver au chaud.

* Préparer la sauce au fromage instantanée tout en faisant griller le pain.

* Répartir les épinards sur les tranches de pain grillé et y déposer les œufs.

* Napper le tout de sauce au fromage, poivrer et servir.

LE PETIT GRAIN DE SEL

Savez-vous que dans son auto-portrait *La clairvoyance,* René Magritte dessine un oiseau aux ailes déployées, alors que son modèle est un œuf ? Il s'agit d'une métaphore de la sempiternelle question de l'œuf et la poule.

Œufs bénédictine

POUR : **4 personnes**
PRÉPARATION : **5 min**
CUISSON : **15 min**

**30 ml (2 c. à soupe)
de vinaigre blanc**

4 œufs

**1 sachet de
sauce hollandaise
instantanée Knorr®**

2 muffins anglais

4 tranches de jambon

Poivre

* Remplir une casserole d'eau et ajouter le vinaigre blanc. Chauffer jusqu'à frémissement et y déposer les œufs un à un. Laisser cuire de 3 à 4 min jusqu'à ce que le jaune soit recouvert d'une pellicule blanche. Prélever les œufs avec une cuillère à égoutter et réserver.

* Préparer la sauce hollandaise instantanée tout en faisant griller les muffins anglais coupés en 2.

* Déposer une tranche de jambon sur chaque moitié de muffin, ainsi qu'un œuf poché.

* Napper le tout de sauce hollandaise, parsemer de poivre et servir.

ŒUVRE DE **CÉLINE TREMBLAY**

Œufs à la crème de champignons

POUR : **4 personnes**
PRÉPARATION : **5 min**
CUISSON : **15 min**

30 ml (2 c. à soupe) de vinaigre blanc

4 œufs

1 petite boîte de crème de champignons

80 ml (⅓ tasse) de lait

2 muffins anglais

Poivre

Persil

＊ Remplir une casserole d'eau et ajouter le vinaigre blanc. Chauffer jusqu'à frémissement et y déposer les œufs un à un. Laisser cuire de 3 à 4 min jusqu'à ce que le jaune soit recouvert d'une pellicule blanche. Prélever les œufs avec une cuillère à égoutter et réserver.

＊ Dans une autre casserole, verser la crème de champignons et le lait. Remuer jusqu'à ce que la sauce soit chaude et sa consistance homogène.

＊ Faire griller les muffins anglais coupés en deux et déposer un œuf sur chaque moitié.

＊ Napper le tout de sauce aux champignons et poivrer.

＊ Disposer un peu de persil sur la préparation en guise de décoration et servir.

LE PETIT GRAIN DE SEL

Savez-vous que vous soignerez vos engelures en les badigeonnant d'un mélange d'eau-de-vie et d'œuf ?

su un œuf jau

le fromage mozza

jusqu'à ce que l'o

bien cuit

mélanger

ans chaque ramequin

jambon coupés en d

un peu de fromage R

rème fraîche.

OEUF POCHÉ

OEUF MIROIR

OEUF BÉNÉDICTINE

OEUF À LA COQUE

OEUF AU PLAT

COCO BUMP!

Œufs aux tomates et à l'ail de Robert Élie

POUR : **4 à 6 personnes**
PRÉPARATION : **2 min**
CUISSON : **20 min**

**30 ml (2 c. à soupe)
d'huile d'olive**

**2 à 3 gousses
d'ail écrasées et
finement hachées**

**1 boîte (796 ml/28 oz liq)
de tomates italiennes
entières**

Ciboulette émincée

Thym

Sel et poivre

4 à 6 œufs

* Dans un poêlon, faire chauffer l'huile d'olive à feu moyen.

* Y faire revenir l'ail et y verser les tomates écrasées. Ajouter un peu de ciboulette, beaucoup de thym, du sel et du poivre. Remuer le tout et laisser cuire quelques minutes.

* Casser et déposer délicatement les œufs sur le mélange, au centre du poêlon. Cuire à feu doux pendant 8 à 10 min selon la consistance désirée et servir.

Œufs pochés au yogourt à l'ail et à l'huile épicée

RECETTE OFFERTE PAR **FISUN ERCAN**

POUR : **6 personnes**
PRÉPARATION : **5 à 10 min**
CUISSON : **5 min**

POUR LE YOGOURT À L'AIL

375 ml (1 ½ tasse) de yogourt nature à 3,25 % de M.G. (préférablement biologique)

1 gousse d'ail, en purée

1 pincée de sel de mer fin

POUR L'HUILE ÉPICÉE

22 ml (1 ½ c. à soupe) de beurre

30 ml (2 c. à soupe) d'huile d'olive extra-vierge

1 pincée de piment rouge (ou chili)

1 pincée de sumac

1 pincée de menthe

POUR LES ŒUFS POCHÉS

Sel de mer

5 ml (1 c. à thé) de vinaigre blanc

6 œufs

PRÉPARATION DU YOGOURT À L'AIL

* Mélanger le yogourt nature, l'ail et le sel dans un bol.

* Transvider le tout dans un contenant hermétique et réfrigérer. Ce mélange peut se conserver environ 3 jours au réfrigérateur.

PRÉPARATION DE L'HUILE ÉPICÉE

* Dans une poêle, faire fondre le beurre et l'huile d'olive à feu doux.

* Y ajouter les épices et poursuivre la cuisson pendant 1 ou 2 min.

POUR LES ŒUFS POCHÉS

* Remplir une petite casserole aux bords hauts avec environ 3 cm (1 ¼ po) d'eau et faire bouillir.

* Ajouter le vinaigre et le sel et baisser la température jusqu'à ce que l'eau ne produise plus que de toutes petites bulles.

* Casser les œufs dans un bol et les transférer dans l'eau.

* À l'aide d'une cuillère à égoutter, retirer les œufs en veillant à bien les égoutter. Les placer dans une assiette.

* Recouvrir les œufs avec du yogourt à l'ail et un filet d'huile épicée. Servir immédiatement avec du pain chaud.

Œufs à la suisse

POUR : 4 personnes
PRÉPARATION : **5 min**
CUISSON : **15 min**

**30 ml (2 c. a soupe)
de vinaigre blanc**

4 œufs

**1 sachet de sauce au
fromage instantanée
Knorr®**

4 tranches de pain

**4 tranches de
jambon cuit**

Poivre

* Remplir une casserole d'eau et ajouter le vinaigre blanc. Chauffer jusqu'à frémissement et y déposer les œufs un à un. Laisser cuire de 3 à 4 min jusqu'à ce que le jaune soit re-couvert d'une pellicule blanche. Prélever les œufs avec une cuillère à égoutter et réserver.

* Préparer la sauce au fromage instantanée tout en faisant griller les tranches de pain.

* Sur chaque tranche de pain, déposer une tranche de jambon et un œuf poché.

* Napper le tout de sauce au fromage, poivrer et servir.

ŒUVRE DE **DINH DUONG NGUYEN**

Œufs jambon et asperges

RECETTE OFFERTE PAR LA **FPOCQ**

POUR : **4 personnes**
PRÉPARATION : **20 min**
CUISSON : **20 min**

POUR LA SAUCE AU CITRON

**30 ml (2 c. à soupe)
de beurre**

**30 ml (2 c. à soupe)
de farine tout usage**

**250 ml (1 tasse) de
bouillon de poulet**

**30 ml (2 c. à soupe)
de crème à fouetter
35 % de M.G. (facultatif)**

**10 ml (2 c. à thé)
de jus de citron**

Sel et poivre

POUR LES ŒUFS ET
LES GARNITURES

**450 g (1 lb) d'asperges
fraîches, parées**

**30 ml (2 c. a soupe)
de vinaigre blanc**

4 œufs

**4 tranches de
pain de campagne**

4 tranches de jambon cuit

Persil frais italien haché

PRÉPARATION DE LA SAUCE AU CITRON

✳ Faire fondre le beurre dans une petite casserole
à feu moyen. Ajouter la farine et cuire 1 min en
remuant.

✳ Ajouter le bouillon de poulet et porter doucement à ébullition toujours en remuant. Laisser
mijoter environ 2 min.

✳ Retirer du feu, ajouter la crème et le jus de citron.
Saler et poivrer, puis réserver au chaud.

PRÉPARATION DES ŒUFS ET DES ASPERGES

✳ Cuire les asperges dans l'eau bouillante jusqu'à
ce qu'elles soient *al dente*. Égoutter et réserver.

✳ Remplir une casserole d'eau et ajouter le
vinaigre blanc. Chauffer jusqu'à frémissement
et y déposer les œufs un à un. Laisser cuire de
3 à 4 min jusqu'à ce que le jaune soit recouvert d'une pellicule blanche. Prélever les œufs
avec une cuillère à égoutter et réserver.

✳ Dans quatre assiettes, déposer les tranches
de pain, préalablement grillé, et les napper de
sauce. Y déposer les asperges, le jambon et les
œufs. Garnir de persil et servir.

Les œufs cocotte

Œufs en tomates

POUR : **4 personnes**

PRÉPARATION : **10 min**

CUISSON : **2 min (four micro-ondes), 45 à 50 min (four traditionnel)**

4 tomates

4 œufs

60 ml (¼ tasse) de fromage parmesan

Sel et poivre

30 ml (2 c. à soupe) d'huile d'olive

5 ml (1 c. à thé) de basilic haché

½ gousse d'ail écrasée et hachée

* Couper les calottes des tomates et en évider l'intérieur. Les déposer sur un plat de cuisson.

* Casser un œuf dans chaque tomate et le parsemer de parmesan, de sel et de poivre.

* Dans un petit bol, mélanger l'huile d'olive, le basilic et l'ail. Badigeonner l'extérieur des tomates avec ce mélange.

* Cuire le tout au four micro-ondes à haute température pendant une 1,5 à 2 min et servir.

* Pour cuire au four traditionnel, préchauffer ce dernier à 200 °C (400 °F) et y placer les tomates évidées et assaisonnées, puis cuire pendant 40 min. Casser ensuite un œuf dans chaque tomate, recouvrir de papier aluminium et cuire encore 5 à 10 min selon la consistance désirée, puis servir.

LE PETIT GRAIN DE SEL

Savez-vous que Claude Monet dépeint une corbeille remplie d'œufs dans sa nature morte *Les œufs* ? Il nous convie aussi à un repas simple où l'œuf à la coque est à l'honneur dans son tableau *Le déjeuner,* peint en 1868.

Œufs cocotte au bacon

POUR : **4 personnes**
PRÉPARATION : **5 min**
CUISSON : **30 min**

....
4 tranches de bacon
....
4 œufs
....
Poivre
....

* Préchauffer le four à 200 °C (400 °F).

* Cuire le bacon dans une poêle à feu vif ou au four, sans qu'il devienne croustillant.

* Couper chaque tranche de bacon en 2 parts non égales. Disposer la plus grande partie des tranches sur le pourtour de 4 ramequins et déposer les autres parties dans le fond des ramequins.

* Casser un œuf dans chaque ramequin et poivrer.

* Dans un grand plat à cuisson, déposer les ramequins et y verser de l'eau préalablement portée à ébullition à mi-hauteur des contenants. Placer le plat au four, cuire pendant 15 à 20 min selon la consistance désirée et servir.

DÉTAIL DE L'ŒUVRE DE **MANON PARADIS**

Œufs en cocotte forestière

RECETTE OFFERTE PAR **LOUISE DESCHÂTELETS**

POUR : **6 personnes**
PRÉPARATION : **20 min**
CUISSON : **30 min**

**15 ml (1 c. à soupe)
d'huile d'olive**

**3 tranches de
bacon assez épaisses,
découpées en lardons**

**15 ml (1 c. à soupe)
de beurre**

**227 g (8 oz) de
champignons blancs
coupés en tranches fines**

**2 échalotes françaises
finement hachées**

**5 ml (1 c. à thé) de
farine tout usage**

**125 ml (½ tasse) de
bouillon de poulet**

**10 ml (2 c. à thé)
de jus de citron**

6 œufs

Sel et poivre

**15 ml (1 c. à soupe) de
ciboulette fraîche ciselée**

* Placer la grille au centre du four. Préchauffer le four à 200 °C (400 °F)

* Dans une poêle, verser l'huile d'olive et cuire le bacon.

* Ajouter le beurre, les champignons, les échalotes et les faire revenir jusqu'à ce qu'ils soient dorés. Saupoudrer le tout de farine et bien mélanger.

* Ajouter le bouillon, le jus de citron et porter à ébullition tout en remuant. Rectifier l'assaisonnement et réserver.

* Beurrer six petits ramequins, y verser la garniture et un œuf. Saler légèrement (le bacon et le bouillon sont déjà salés) et poivrer.

* Disposer un linge au fond d'un grand plat à cuisson, y déposer les ramequins et y verser de l'eau préalablement portée à ébullition jusqu'à mi-hauteur des contenants.

* Cuire au four environ 20 min, ou jusqu'à ce que les œufs aient la consistance désirée.

* Parsemer de ciboulette et servir avec des mouillettes beurrées ou de fines tranches de pain grillé et beurré.

Œufs cocotte jambon et pommes de terre

POUR : **4 personnes**
PRÉPARATION : **10 min**
CUISSON : **15 à 20 min**

**125 ml (½ tasse)
de jambon cuit
coupé en dés**

**125 ml (½ tasse)
de purée de
pommes de terre**

4 œufs

**60 ml (¼ tasse) de
fromage mozzarella
en brique râpé**

Sel et poivre

* Préchauffer le four à 200 °C (400 °F).

* Dans 4 ramequins, déposer des morceaux de jambon et 2 c. à soupe de purée de pommes de terre.

* Casser un œuf dans chaque ramequin et parsemer de fromage mozzarella. Saler et poivrer.

* Dans un grand plat à cuisson, déposer les ramequins et verser de l'eau préalablement portée à ébullition à mi-hauteur des contenants. Placer le plat au four et cuire pendant 15 à 20 min selon la consistance désirée et servir.

DÉTAIL DE L'ŒUVRE DE **DENIS GUÉRARD**

Œufs cocotte en neige

POUR : **4 personnes**
PRÉPARATION : **15 min**
CUISSON : **8 à 10 min**

....
**20 ml (4 c. à thé)
de beurre**
....
8 œufs
....
Sel et poivre
....
**250 ml (1 tasse) de
fromage mozzarella ou
cheddar en brique râpé**
....

∗ Préchauffer le four à 190 °C (375 °F).

∗ Mettre 1 c. à thé de beurre dans 4 grands ramequins.

∗ Séparer le blanc du jaune des œufs. Dans un bol, verser les blancs et une pincée de sel et, à l'aide d'un batteur électrique, battre le mélange, jusqu'à ce qu'il devienne ferme.

∗ Déposer les blancs d'œufs en neige dans les 4 plats et ajouter les jaunes. Saler, poivrer et parsemer de fromage râpé.

∗ Dans un grand plat à cuisson, déposer les ramequins et verser de l'eau préalablement portée à ébullition à mi-hauteur des contenants. Placer le plat au four, cuire pendant 8 à 10 min selon la consistance désirée et servir.

LE PETIT GRAIN DE SEL
....
Savez-vous que Salvador Dalí s'inspire d'un ancien mythe grec pour représenter la renaissance de Narcisse dans un œuf ?

Œufs cocotte aux tomates

POUR : **4 personnes**
PRÉPARATION : **10 min**
CUISSON : **30 min**

**30 ml (2 c. à soupe)
d'huile d'olive**

**4 tomates pelées
et coupées en dés**

**4 oignons verts hachés
(communément appelés
échalotes au Québec)**

4 œufs

Sel et poivre

＊ Préchauffer le four à 200 °C (400 °F).

＊ Dans une casserole, faire chauffer l'huile d'olive
et ajouter les tomates, ainsi que les oignons
verts.

＊ Cuire le tout à feu moyen pendant une quinzaine de minutes et mettre de côté.

＊ Verser le mélange de tomates dans 4 ramequins
et casser un œuf dans chacun des contenants.
Saler et poivrer.

＊ Dans un grand plat à cuisson, déposer les ramequins et verser de l'eau préalablement portée
à ébullition à mi-hauteur des contenants. Placer
le plat au four, cuire pendant 15 à 20 min selon
la consistance désirée et servir.

DÉTAIL DE L'ŒUVRE DE **JEAN COUSINEAU**

Œufs cocotte mélangés

POUR : **4 personnes**
PRÉPARATION : **10 min**
CUISSON : **15 à 20 min**

**125 ml (½ tasse)
de jambon cuit
coupé en dés**

**2 champignons blancs
coupés en tranches**

**60 ml (¼ tasse) de
fromage Roquefort
émietté**

**180 ml (¾ tasse)
de crème de table
(15 % de M.G.)**

Sel et poivre

4 œufs

* Préchauffer le four à 200 °C (400 °F).

* Dans chaque ramequin, déposer des morceaux de jambon, de champignons, un peu de fromage et un peu de crème. Saler et poivrer.

* Casser un œuf dans chaque ramequin.

* Dans un grand plat à cuisson, déposer les ramequins et verser de l'eau préalablement portée à ébullition à mi-hauteur des contenants. Placer le plat au four, cuire pendant 15 à 20 min selon la consistance désirée et servir.

LE PETIT GRAIN DE SEL

Savez-vous que la sobriété et la pureté de la ligne de l'œuf sont exprimées dans les sculptures de Constantin Brancusi ? *Le nouveau-né*, *La Muse endormie* et la *Sculpture pour aveugle* reflètent l'énergie du monde à l'image de l'œuf.

Les œufs durs

Œufs cocktail

POUR : **6 personnes**
PRÉPARATION : **20 min**
CUISSON : **10 à 15 min**

5 ml (1 c. à thé)
de vinaigre

10 œufs

60 ml (¼ tasse)
de mayonnaise

Sauce Tabasco®

Sel et poivre

POUR LA DÉCORATION

Olives noires, radis,
carottes, concombre,
œufs de saumon
ou de lompe, etc.

* Remplir une casserole d'eau et faire chauffer. Une fois que l'eau bout, ajouter le vinaigre, une pincée de sel et les œufs. Faire cuire les œufs de 10 à 15 min, puis les refroidir dans de l'eau fraîche.

* Écaler les œufs, les couper en deux, puis, à l'aide d'une petite cuillère, prélever les jaunes et les placer dans un bol.

* Écraser les jaunes et les mélanger avec la mayonnaise, quelques gouttes de sauce Tabasco®, ainsi que du sel et du poivre.

* Remplir les blancs d'œufs avec le mélange. Pour faciliter la tâche, prendre une poche à douille ou un sac de plastique dont l'un des coins est découpé.

* Décorer les œufs avec des morceaux d'olives noires, de radis, de carottes, de concombres ou avec quelques œufs de saumon ou de lompe. Servir aussitôt ou conserver quelques jours au réfrigérateur.

LE PETIT GRAIN DE SEL

Savez-vous que, déjà en 1472, la fresque de Piero Della Francesca, *La sacra conversazione*, symbolise la naissance et la perfection par un œuf pendu au plafond pointant vers le nombril du nouveau-né ?

2 jaunes dans ch...

...oudrier de fromage,

...te au four à 400°F

...à 8 menuts.

« À la fois simple, raffinée et originale, cette recette met en valeur le goût des œufs. »

Dr Richard Béliveau

Œufs au thé

RECETTE OFFERTE PAR **RICHARD BÉLIVEAU**

POUR : **6 personnes**
PRÉPARATION : **5 min**
CUISSON : **1 h 10 min**

6 œufs

10 ml (2 c. à thé) de sel

**45 ml (3 c. à soupe)
de sauce soya**

1 étoile de badiane

**10 ml (2 c. à thé)
de thé noir infusé**

* Cuire les œufs dans l'eau pendant 10 min et les refroidir aussitôt à l'eau froide.

* Lorsque les œufs sont assez froids, les marteler délicatement avec le dos d'une cuillère de façon à craqueler les coquilles, mais sans les retirer.

* Dans une petite casserole, déposer les œufs et les couvrir d'eau. Ajouter le sel, la sauce soya, l'étoile et le thé. Porter à ébullition et laisser frémir pendant 1 h.

* Retirer du feu et laisser refroidir les œufs dans le liquide avant de les entreposer au réfrigérateur.

* Avant de servir, écaler les œufs, les couper en deux et servir sur un plateau plat, le côté arrondi avec ses splendides marbrures vers le haut.

Œufs sauce ketchup-moutarde

POUR : **2 personnes**
PRÉPARATION : **10 min**
CUISSON : **10 à 15 min**

**5 ml (1 c. à thé)
de vinaigre**

3 œufs

**30 ml (2 c. à soupe)
de crème de table
(15 % de M.G.)**

**15 ml (1 c. à soupe)
de ketchup**

**30 ml (2 c. à soupe)
de moutarde forte**

Sel et poivre

2 feuilles de laitue

**1 oignon vert émincé
(communément appelé
échalote au Québec)**

∗ Remplir une casserole d'eau et faire chauffer.
Une fois que l'eau bout, ajouter le vinaigre, une
pincée de sel et les œufs. Faire cuire les œufs
de 10 à 15 min, puis les refroidir dans de l'eau
fraîche, les écaler et les couper en tranches.

∗ Dans un bol, mélanger la crème, le ketchup
et la moutarde. Saler et poivrer.

∗ Disposer les feuilles de laitue dans les assiettes, y
déposer les œufs tranchés et napper de sauce.

∗ Décorer avec l'oignon vert émincé et servir.

∗ Une variante possible pour cette recette est
de retirer le jaune des œufs durs après en avoir
ôté la calotte, de remplir la cavité avec la sauce
et d'émietter les jaunes sur ou autour du blanc.

4 plats à œuf.

... séparer le blanc ...

... l'aide d'un batteur éle...

... s d'œuf jusqu'à
consistan...

... de terre et jambon
4 personnes.
morceaux
des ~~croû~~ de jambon cui...
... de terre en purée et
... chacun des 4 rameq...
... œuf par ramequin,

Œufs de Patrick Godbout

POUR : **4 personnes**
PRÉPARATION : **15 min**
CUISSON : **20 min**

**5 ml (1 c. à thé)
de vinaigre**

5 œufs

3 tranches de bacon

**45 ml (3 c. à soupe) de
fromage mozzarella ou
cheddar en brique, râpé**

**1 oignon vert émincé
(communément appelé
échalote au Québec)**

Sel et poivre

**30 ml (2 c. à soupe)
de mayonnaise**

**15 ml (1 c. à soupe)
de moutarde de Dijon**

4 tranches de pain

LA VEILLE DU BRUNCH OU 2 H AVANT

✳ Remplir une casserole d'eau et faire chauffer.
Une fois que l'eau bout, ajouter le vinaigre,
une pincée de sel et les œufs. Faire cuire les
œufs de 10 à 15 min, puis les refroidir dans
de l'eau fraîche.

✳ Faire cuire le bacon dans une poêle ou au four,
suffisamment pour pouvoir l'émietter.

✳ Écaler les œufs, les couper en petits morceaux.

✳ Dans un plat, mélanger les œufs, le bacon, le
fromage et l'oignon vert. Saler et poivrer.

✳ Entreposer au réfrigérateur au moins 2 h.

LE JOUR DU BRUNCH

✳ Ajouter la mayonnaise et la moutarde au
mélange. Bien remuer le tout et servir avec
des tranches de pain grillé.

DÉTAIL DE L'ŒUVRE DE **G. ALARIE**

Carry d'œufs à la noix de coco

RECETTE OFFERTE PAR **PAUL MOÏSE**

POUR : **4 personnes**
PRÉPARATION : **30 min**
CUISSON : **20 min**

**5 ml (1 c. à thé)
de vinaigre**

4 œufs

1 noix de coco

**30 ml (2 c. à soupe)
d'huile de sésame**

1 oignon finement haché

1 gousse d'ail écrasée

**1 petit morceau de
piment finement haché**

2 clous de girofle pilés

**1 pincée de
coriandre en poudre**

**2,5 ml (½ c. à thé)
de cannelle en poudre**

Sel

**15 ml (1 c. à soupe) de
coriandre fraîche ciselée**

* Remplir une casserole d'eau et faire chauffer. Une fois que l'eau bout, ajouter le vinaigre, une pincée de sel et les œufs. Faire cuire les œufs durs (10 à 15 min), puis les refroidir dans de l'eau fraîche.

* Recueillir le lait et la chair de la noix de coco. Broyer le tout au malaxeur et ajouter un peu d'eau au besoin.

* Dans une sauteuse, faire revenir à feu doux l'huile, l'oignon, l'ail, le piment et les épices.

* Ajouter la noix de coco mixée et saler. Laisser mijoter le tout 15 min en remuant régulièrement.

* Écaler les œufs et les couper en quatre. Verser la préparation dans un plat creux et y disposer les quartiers d'œufs. Parsemer de coriandre fraîche et servir aussitôt.

* Il est possible de remplacer la noix de coco fraîche par une boîte de lait de coco (398 ml/ 14 oz liq) et de la noix de coco râpée.

...ser les blancs d'œufs...

...vec 2 jaunes dans ch...

...saupoudrer de fromage...

...mettre au four à 400°F

6 à 8 minutes.

...des 4 ramequins...

...un ramequin, ...

...zzarella râpé et...

...l'œuf soit coul...

Œufs bacon-miel

POUR : **4 personnes**
PRÉPARATION : **5 min**
CUISSON : **15 à 20 min**

5 ml (1 c. à thé)
de vinaigre

4 œufs

8 tranches de bacon

15 ml (1 c. à soupe)
de miel

4 tranches de pain

* Remplir une casserole d'eau et faire chauffer. Une fois que l'eau bout, ajouter le vinaigre, une pincée de sel et les œufs. Faire cuire les œufs de 10 à 15 min, puis les refroidir dans de l'eau fraîche.

* Dans une poêle, cuire les tranches de bacon à feu moyen, de 2 à 3 min de chaque côté. Ajouter le miel et poursuivre la cuisson pendant quelques minutes.

* Écaler les œufs, les couper en deux et placer chaque moitié sur une tranche de pain grillé avec 2 tranches de bacon au miel, puis servir.

* Une variante possible pour cette recette est de remplacer le miel par du sirop d'érable.

LE PETIT GRAIN DE SEL

Savez-vous que, pour Balzac, « l'amour est un œuf frais, le mariage un œuf dur et le divorce un œuf brouillé » ?

Œufs dans le vinaigre

POUR : 6 personnes
PRÉPARATION : 10 min
CUISSON : 10 à 15 min

125 ml (½ tasse)
de vinaigre

6 œufs

125 ml (½ tasse) de
jus d'orange concentré

60 ml (¼ tasse) d'eau

1 bâton de cannelle

3 clous de girofle

À PRÉPARER AU MOINS UNE SEMAINE AVANT DE SERVIR

* Remplir une casserole d'eau et faire chauffer. Une fois que l'eau bout, ajouter 1 c. à thé de vinaigre, une pincée de sel et les œufs. Faire cuire les œufs de 10 à 15 min, puis les refroidir dans de l'eau fraîche.

* Écaler les œufs et les placer dans un bocal en verre, d'une contenance de 1 L (4 tasses), muni d'un couvercle.

* Dans une casserole, faire chauffer, l'eau, le vinaigre, le jus d'orange, un bâton de cannelle et des clous de girofle pendant quelques minutes.

* Verser la préparation sur les œufs, fermer le pot, laisser refroidir à la température ambiante, puis conserver au réfrigérateur, de une semaine à un mois.

DÉTAIL DE L'ŒUVRE D'ISABELLE SAUVÉ

Les œufs brouillés

Œufs bacon-champignons

POUR : **6 personnes**
PRÉPARATION : **10 min**
CUISSON : **20 à 25 min**

6 tranches de bacon

1 petit oignon haché

½ poivron haché

8 œufs

**1 boîte
(295 ml/10 oz liq)
de crème de
champignons**

Sel et poivre

**6 tranches de
pain de seigle**

* Cuire le bacon dans une poêle ou au four, jusqu'à ce qu'il soit croustillant, puis l'émietter.

* Dans une poêle, verser 2 c. à soupe de graisse de bacon et y faire frire l'oignon et le poivron à feu moyen, jusqu'à ce qu'ils soient tendres.

* Dans un bol, battre légèrement les œufs et les mélanger avec la crème de champignons avant d'y ajouter le bacon, l'oignon et le poivron. Saler et poivrer.

* Verser le mélange dans la poêle et le cuire à feu doux, jusqu'à la consistance désirée (de 8 à 10 min), en mélangeant régulièrement avec une spatule en bois.

* Servir une portion de la préparation sur les tranches de pain de seigle grillé et servir.

Œufs de Simon

POUR : **4 personnes**
PRÉPARATION : **15 min**
CUISSON : **20 à 25 min**

2 tranches de bacon

1 petit oignon haché

125 ml (½ tasse) de champignons coupés en tranches

½ poivron coupé en fines lanières

2 tomates coupées en dés

Ail haché, au goût

30 ml (2 c. à soupe) de beurre

6 œufs

Sel et poivre

＊ Couper le bacon en petits morceaux et le faire cuire dans une poêle à feu vif, jusqu'à ce qu'il soit croustillant (environ 5 min). Y ajouter l'oignon haché et cuire le tout à feu doux pendant 2 à 3 min.

＊ Incorporer les champignons et les poivrons. Cuire 4 à 5 min.

＊ Ajouter les tomates et l'ail et cuire encore quelques minutes jusqu'à ce que tous les légumes soient tendres.

＊ Dans une autre poêle, faire fondre le beurre et y ajouter les œufs battus. Saler et poivrer.

＊ Cuire à feu doux jusqu'à la consistance désirée (de 3 à 5 min), en mélangeant régulièrement avec une spatule en bois.

＊ Disposer les œufs dans les assiettes, recouvrir avec le mélange de bacon et de légumes et servir.

DÉTAIL DE L'ŒUVRE DE **JEAN COUSINEAU**

Œufs au jambon et au sirop d'érable

RECETTE OFFERTE PAR **STANLEY VOLLANT**

POUR : **4 personnes**
PRÉPARATION : **5 min**
CUISSON : **3 à 5 min**

**200 g (7 oz) de jambon
ou 2 tranches épaisses**

6 œufs larges

**160 ml (⅔ tasse)
de crème de table
(15 % de M.G.)**

**160 ml (⅔ tasse)
de lait 1 % de M.G.**

**60 ml (¼ tasse)
de fromage
cheddar fort râpé**

**6 à 8 branches de
ciboulette ciselées**

Sel et poivre

**15 ml (1 c. à soupe)
de beurre**

**25 ml (5 c. à thé) de
sirop d'érable du Québec
ou plus selon le goût**

Pain maison

∗ Couper le jambon en petits dés.

∗ Dans un bol, battre les œufs avec une fourchette. Ajouter la crème, le lait, le jambon, le
fromage et la ciboulette. Saler, poivrer et
mélanger le tout.

∗ Dans une poêle, faire fondre une noisette de
beurre et y verser la préparation aux œufs.

∗ Faire cuire pendant quelques minutes à feu
moyen fort en mélangeant fréquemment avec
une cuillère en bois.

∗ Napper les œufs de sirop d'érable et servir avec
du pain maison grillé.

« Lors de la plus récente étape de ma marche à travers le Québec pour le projet Innu Meshkenu (Le chemin innu), je suis passé par la réserve Atikamekw de Manawan, dont le nom signifie littéralement « là où il y a des œufs ». Quel heureux hasard ! J'ai choisi de vous présenter cette recette qui nous permettait de faire le plein d'énergie chaque matin avant d'affronter les kilomètres de marche. »

Dr Stanley Vollant

Œufs au citron

POUR : **4 personnes**
PRÉPARATION : **5 min**
CUISSON : **5 à 6 min**

8 œufs

**60 ml (¼ tasse)
de jus de citron**

Sel et poivre

**30 ml (2 c. à soupe)
de beurre**

4 tranches de pain

Sel et poivre

* Dans un bol, fouetter les œufs à la fourchette et y inclure le jus de citron. Saler et poivrer.

* Dans une poêle, faire fondre le beurre et y ajouter les œufs battus.

* Cuire à feu doux jusqu'à la consistance désirée (de 3 à 5 min), en mélangeant régulièrement avec une spatule en bois. Saler et poivrer.

* Faire griller le pain, y déposer la préparation et servir.

* Pour un goût encore plus citronné, il est possible d'ajouter un peu de zeste de citron.

DÉTAIL DE L'ŒUVRE D'**ANTONIO MAZZA**

Œufs scandinaves

POUR : **4 personnes**
PRÉPARATION : **5 min**
CUISSON : **5 à 6 min**

6 œufs

**125 ml (½ tasse)
de crème épaisse
(35 % de M.G.)**

Sel et poivre

**30 ml (2 c. à soupe) de
beurre ou huile d'olive**

2 muffins anglais

Fromage à la crème

**4 tranches de
saumon fumé**

Aneth frais

✳ Dans un bol, battre les œufs à la fourchette et ajouter la crème. Saler et poivrer.

✳ Dans une poêle, faire fondre le beurre ou chauffer l'huile, puis verser les œufs battus.

✳ Cuire à feu doux jusqu'à la consistance désirée (de 3 à 5 min), en mélangeant régulièrement avec une spatule en bois.

✳ Faire griller les moitiés de muffin anglais, les tartiner de fromage à la crème et y déposer les tranches de saumon fumé.

✳ Répartir les œufs brouillés sur les muffins, ajouter d'un peu d'aneth frais et servir.

LE PETIT GRAIN DE SEL

Savez-vous que, pour ses amis, le poète Mallarmé écrivait des vers sur les coquilles des œufs ?

Œufs tomate-basilic sur muffin anglais

POUR : **4 personnes**
PRÉPARATION : **5 min**
CUISSON : **5 à 6 min**

....
4 œufs
....
4 feuilles de basilic séchées
....
30 ml (2 c. à soupe) de beurre ou huile d'olive
....
Sel et poivre
....
2 muffins anglais
....
4 tranches de fromage cheddar moyen ou fort
....
4 tranches de tomates ou 4 petits piments peperoncini
....

* Dans un bol, battre les œufs à la fourchette et ajouter le basilic.

* Dans une poêle, faire fondre le beurre ou chauffer l'huile, puis verser les œufs battus.

* Cuire à feu doux jusqu'à la consistance désirée (de 3 à 5 min), en mélangeant régulièrement avec une spatule en bois. Saler et poivrer.

* Couper les muffins en 2 et faire griller.

* Répartir les œufs brouillés sur les moitiés de muffins et recouvrir d'une mince tranche de fromage.

* Agrémenter le tout d'une tranche de tomate ou d'un petit piment et servir.

ŒUVRE D'**HÉLÈNE BARABY**

Œufs à la moutarde de Céline

POUR : **4 personnes**
PRÉPARATION : **5 min**
CUISSON : **8 à 10 min**

8 œufs

15 ml (1 c. à soupe) de moutarde de Meaux

15 ml (1 c. à soupe) de moutarde de Dijon

Basilic frais, au goût

Fromage parmesan râpé, au goût

Sel et poivre

30 ml (2 c. à soupe) d'huile d'olive

1 petit oignon haché

* Dans un bol, battre les œufs à la fourchette. Ajouter la moutarde de Meaux et la moutarde de Dijon, le basilic et le parmesan. Saler, poivrer et bien mélanger.

* Dans une poêle, faire chauffer l'huile d'olive et faire revenir l'oignon de 3 à 4 min à feu moyen. Ajouter le mélange d'œufs.

* Cuire à feu doux jusqu'à ce que le mélange soit cuit, mais reste baveux, en mélangeant régulièrement avec une spatule en bois, servir.

LE PETIT GRAIN DE SEL

Savez-vous qu'en 1618, le peintre espagnol Diego Vélasquez reproduit l'œuf comme élément essentiel de la nourriture dans le tableau *La vieille femme cuisant les œufs* ?

déposer un œuf dans
neguns qui vont au
in - marie pendant 10 m

sommes de terre et jambon

Œufs au parmesan

POUR : **4 personnes**
PRÉPARATION : **5 min**
CUISSON : **5 à 6 min**

6 œufs

**45 ml (3 c. à soupe)
de crème de table
(15 % de M.G.)**

**30 ml (2 c. à soupe)
de persil frais ciselé**

Sel et poivre

**30 ml (2 c. à soupe)
de beurre**

**45 ml (3 c. à soupe) de
fromage parmesan râpé**

Pain

* Dans un bol, battre les œufs à la fourchette, puis y ajouter la crème et le persil. Saler et poivrer.

* Dans une poêle, faire fondre le beurre, puis y verser les œufs battus. Cuire à feu doux pendant environ 2 min avant d'ajouter le parmesan.

* Poursuivre la cuisson jusqu'à la consistance désirée, en mélangeant régulièrement avec une spatule en bois.

* Dès que les œufs sont prêts, garnir les assiettes et servir avec du pain grillé.

DÉTAIL DE L'ŒUVRE DE **JULIE M.**

Œufs Worcestershire

POUR : **4 personnes**
PRÉPARATION : **5 min**
CUISSON : **5 à 6 min**

8 œufs

**20-25 ml (4 à 5 c. à thé)
de crème de table
(15 % de M.G.)**

**Environ 60 ml
(¼ tasse) de sauce
Worcestershire**

Sel et poivre

**30 ml (2 c. à soupe)
d'huile d'olive**

4 tranches de pain

∗ Dans un bol, fouetter les œufs à la fourchette.

∗ Y ajouter la crème, puis la sauce Worcestershire,
jusqu'à ce que le mélange prenne une légère
teinte brune. Saler et poivrer.

∗ Dans une poêle, faire chauffer l'huile d'olive et
verser le mélange. Cuire à feu doux jusqu'à la
consistance désirée (de 3 à 5 min), en mélangeant régulièrement avec une spatule en bois.

∗ Déposer une portion de la préparation sur les
tranches de pain grillé et servir.

LE PETIT GRAIN DE SEL

Savez-vous que le blanc comme le jaune de l'œuf constituent d'excellents soins pour le
visage et les cheveux ?

Les omelettes

Omelette au fromage à raclette

POUR : **4 personnes**
PRÉPARATION : **10 min**
CUISSON : **2 à 3 min**

6 œufs

90 ml (6 c. à soupe) de crème sure (crème aigre)

Sel et poivre

30 ml (2 c. à soupe) de beurre ou d'huile d'olive

½ oignon émincé

250 ml (1 tasse) de champignons coupés en morceaux

125 ml (½ tasse) de fromage à raclette râpé ou en tranches

＊ Dans un bol, battre les œufs à l'aide d'un fouet. Y ajouter la crème sure, du sel, du poivre et bien mélanger.

＊ Dans une poêle, faire chauffer le beurre ou l'huile d'olive. Ajouter l'oignon, le faire revenir pendant environ 2 min, ajouter les champignons (en réserver quelques-uns pour la décoration) et cuire encore quelques minutes.

＊ Verser la préparation d'œufs et de crème sur les légumes. Cuire le tout pendant 2 ou 3 min en rabattant progressivement les bords de l'omelette dès qu'ils sont pris à l'aide d'une spatule en bois.

＊ En fin de cuisson, parsemer de fromage à raclette et de de champignons et servir.

＊ Il est possible de remplacer le fromage à raclette par de l'emmenthal ou du cheddar doux.

« Ma grand-mère paternelle préparait cette recette les vendredis seulement. Elle respectait la tradition catholique immémoriale qui proscrivait la viande cette journée-là. Si vous coupez cette frittata en petits cubes, vous obtiendrez l'amuse-gueule parfait, nappé d'une bonne tapenade aux olives. Vous pouvez même l'utiliser comme garniture à sandwich pour le lunch de vos enfants. Grand-maman pensait à tout ! »

Stefano Faita

Frittata con patate

RECETTE OFFERTE PAR **STEFANO FAITA**

POUR : **une frittata de 24 cm
(11 po) de diamètre**
PRÉPARATION : **40 min**
CUISSON : **10 min**

....

**2 pommes de terre
moyennes (environ 250 g)**
....
**45 ml (3 c. à soupe)
d'huile d'olive**
....
**1 petite échalote
hachée finement**
....
**30 ml (2 c. à soupe)
de noix de pin**
....
5 œufs
....
**30 ml (2 c. à soupe) de
romarin haché finement**
....
**15 ml (1 c. à soupe)
de parmesan râpé**
....
45 ml (3 c. à soupe) de lait
....
Sel et poivre
....

* Faire bouillir les pommes de terre et les réduire en purée à la fourchette. Réserver.

* Dans une poêle, faire chauffer 1 c. à soupe d'huile d'olive et y colorer les échalotes délicatement. Ajouter les noix de pins pour les faire rôtir légèrement. Réserver.

* Battre les œufs dans un bol et y incorporer le reste des ingrédients, en incluant le mélange d'échalotes. Assaisonner de sel et de poivre.

* Chauffer le reste de l'huile d'olive dans une poêle antiadhésive de 24 cm (9 ½ po) de diamètre. Verser le mélange d'œufs battus et de pommes de terre dans la poêle. Laisser cuire à feu moyen.

* Retourner la frittata dans une grande assiette quand sa partie supérieure commence à être ferme. Replacer la frittata dans la poêle immédiatement et cuire l'autre côté de 3 à 5 min.

* Laisser reposer et servir la frittata à la température de la pièce.

Omelette fraises et mandarines

RECETTE OFFERTE PAR LA **FPOCQ**

POUR : **2 personnes**
PRÉPARATION : **5 min**
CUISSON : **8 min**
REPOS : **10 min**

**250 ml (1 tasse)
de fraises fraîches
tranchées**

**1 boîte (284 ml/10 oz liq)
de sections de
mandarines, égouttées**

**60 ml (¼ tasse)
de sucre**

4 œufs

30 ml (2 c. à soupe) d'eau

**30 ml (2 c. à soupe)
de farine tout usage**

**Enduit végétal
en vaporisateur**

＊ Dans un bol, mélanger ensemble les fraises, les mandarines et 2 c. à soupe de sucre. Couvrir et laisser reposer 10 min à la température ambiante.

＊ Battre ensemble les œufs, l'eau, le reste du sucre et la farine ; mettre de côté.

＊ Vaporiser une poêle antiadhésive de 20 cm (8 po) de diamètre d'enduit végétal. Chauffer la poêle à feu mi-vif. Y verser la moitié de la préparation aux œufs. À mesure que la préparation commence à prendre près des parois, racler doucement la portion cuite vers le centre à l'aide d'une spatule.

＊ Lorsque les œufs sont presque pris, déposer ½ tasse de garniture aux fruits au centre de l'omelette. Plier chaque côté de l'omelette vers le centre en formant un cornet. Glisser sur une assiette chaude.

＊ Répéter la méthode pour préparer la seconde omelette. Garnir du reste de garniture aux fruits.

ŒUVRE DE **DINH DUONG NGUYEN**

saupoudrer du f...
...comme du Roquefort, ...
...du bleu danois ou...
...alexis de Portneuf

Casserole épinards et feta

RECETTE OFFERTE PAR **JOSÉE DI STASIO**

POUR : **10 à 12 personnes**
PRÉPARATION : **20 à 30 min**
CUISSON : **50 à 60 min**

....
Beurre fondu
....
**1,5 L (6 tasses) de
pain rassis en cubes**
....
**225 g (8 oz) de jeunes
épinards**
....
400 g (14 oz) de feta
....
8 œufs
....
750 ml (3 tasses) de lait
....
**6 oignons verts hachés
finement**
....
**75 ml (5 c. à soupe)
d'aneth ciselé**
....
**30 ml (2 c. à soupe)
de moutarde de Dijon**
....
Sel et poivre du moulin
....

FACULTATIF
....
Sauce piquante
....
**125 ml (½ tasse)
de parmesan**
....

＊ Badigeonner de beurre un plat en terre cuite ou un moule en pyrex de 23 x 33 cm (9 x 13 po).

＊ Mettre la moitié des cubes de pain dans le moule, disposer les épinards et la moitié de la feta au-dessus et couvrir du reste de pain.

＊ Dans un grand bol, fouetter les œufs, ajouter le lait, les oignons verts, l'aneth, la moutarde et, si désiré, le parmesan et la sauce piquante. Saler et poivrer.

＊ Verser cette préparation dans le moule et couvrir de la feta restante.

＊ Laisser reposer 4 h ou toute la nuit au réfrigérateur.

＊ Sortir du réfrigérateur environ 1 h avant la cuisson pour laisser tempérer.

＊ Préchauffer le four à 180 °C (350 °F). Cuire de 50 à 60 min jusqu'à ce que la pointe d'un couteau inséré au centre du moule en ressorte propre. Si le dessus devient trop doré, couvrir d'un papier d'aluminium.

＊ On peut accompagner cette recette de jambon ou, pour une version végétarienne, d'une salade de tomates. On peut aussi en faire une variante avec des légumes rôtis.

Omelette aux fines herbes

POUR : **4 personnes**
PRÉPARATION : **10 min**
CUISSON : **2 à 3 min**

8 œufs

90 ml (6 c. à soupe) de persil frais

60 ml (¼ tasse) de ciboulette fraîche ciselée

30 ml (2 c. à soupe) de basilic frais ciselé

30 ml (2 c. à soupe) d'aneth frais ciselé

Sel et poivre

30 ml (2 c. à soupe) d'huile d'olive

* Dans un bol, battre les œufs à l'aide d'un fouet. Y ajouter le persil, la ciboulette, le basilic, l'aneth, du sel, du poivre et bien mélanger.

* Dans une poêle, faire chauffer l'huile d'olive et verser la préparation.

* Cuire pendant 2 ou 3 min en rabattant progressivement les bords de l'omelette dès qu'ils sont pris et servir.

LE PETIT GRAIN DE SEL

Savez-vous que, lors des festivités de Pâques, le président des États-Unis fait rouler des œufs en bas d'une côte ?

Omelette roulée ricotta et chocolat

RECETTE OFFERTE PAR LA **FPOCQ**

POUR : **1 personne**
PRÉPARATION : **7 min**
CUISSON : **5 min**

2 œufs

30 ml (2 c. à soupe) d'eau

**30 ml (2 c. à soupe)
de sucre**

**45 ml (3 c. à soupe)
de farine tout usage**

**60 ml (¼ tasse)
de fromage ricotta léger**

**2,5 ml (½ c. à thé)
de zeste d'orange râpé**

**30 ml (2 c. à soupe)
de pépites de
chocolat mi-sucré**

**Enduit végétal en
vaporisateur**

FACULTATIF

**7,5 ml (1 ½ c. à thé)
de chocolat fondu**

* Dans un bol, fouetter les œufs avec l'eau, le sucre et la farine ; mettre de côté.

* Dans un autre bol, mélanger le fromage ricotta avec le zeste d'orange râpé et les pépites de chocolat. Cuire au micro-ondes à puissance moyenne pendant 50 s ; mettre de côté.

* Vaporiser une poêle antiadhésive de 24 cm (9 ½ po) de diamètre d'enduit végétal. Chauffer la poêle à feu mi-vif. Y verser le mélange aux œufs. À mesure que la préparation commence à prendre près des parois, soulever la portion cuite à l'aide d'une spatule pour permettre à l'œuf non cuit de couler en dessous. Cuire jusqu'à ce que les deux côtés de l'omelette soient pris.

* Glisser l'omelette sur une assiette chaude et y étendre la préparation au fromage ricotta. Rouler l'omelette et décorer de chocolat fondu, si désiré.

* Tailler en deux en diagonale et servir.

DÉTAIL DE L'ŒUVRE DE **L. LARAMÉE**

Omelette au Boursin® cuisine

RECETTE OFFERTE PAR **MARILOUP WOLFE**

POUR : **4 personnes**
PRÉPARATION : **5 min**
CUISSON : **2 à 3 min**

6 œufs

**30 ml (2 c. à soupe)
de crème de table
(15 % de M.G.)**

**45 ml (3 c. à soupe)
de fromage Boursin®
cuisine ail et
fines herbes**

Sel et poivre

**30 ml (2 c. à soupe)
d'huile d'olive**

＊ Dans un bol, battre les œufs à l'aide d'un fouet. Y ajouter la crème, le Boursin®, saler, poivrer et bien mélanger.

＊ Dans une poêle, faire chauffer l'huile d'olive et verser la préparation.

＊ Cuire pendant 2 ou 3 min en rabattant progressivement les bords de l'omelette dès qu'ils sont pris à l'aide d'une spatule en bois, puis servir.

＊ À la place du Boursin® cuisine, il est possible d'utiliser du fromage de chèvre aux fines herbes.

LE PETIT GRAIN DE SEL

Savez-vous que, en 1942, Salvador Dalí a posé pour une photographie le représentant en position fœtale dans un œuf ?

« Quand mon parrain m'a proposé de participer à son projet de livre au profit des Impatients, je n'ai pas hésité une seconde. En effet, cette cause me touche beaucoup car, avec un père psychiatre et une mère artiste peintre et sculpteur, j'ai été élevée dans cet univers. »

Mariloup Wolfe

Les « à-côtés »

Pâté de campagne

POUR : **6 à 10 personnes**
PRÉPARATION : **15 min**
CUISSON : **1 h 35 min**

250 g (½ lb) de gras de porc haché

250 g (½ lb) de porc frais haché

250 g (½ lb) de foie de veau haché

250 g (½ lb) de veau haché

30 ml (2 c. à soupe) de crème épaisse (35 % de M.G.)

1 œuf

3 gousses d'ail écrasées et hachées

45 ml (1 ½ oz liq) de cognac

5 ml (1 c. à thé) de sel

5 ml (1 c. à thé) de cerfeuil séché

2,5 ml (½ c. à thé) de thym

30 ml (2 c. à soupe) de beurre

2 oignons verts (communément appelé échalote au Québec)

Environ 8 tranches de bacon

1 feuille de laurier

∗ Préchauffer le four à 160 °C (325 °F).

∗ Dans un bol, mélanger le gras de porc, le porc, le foie de veau et le veau.

∗ Ajouter la crème, l'œuf, l'ail, le cognac, le sel, le cerfeuil et le thym. Bien mélanger.

∗ Dans une poêle, faire chauffer le beurre et faire sauter les oignons verts pendant 2 min à feu vif. Les ajouter au pâté et mélanger.

∗ Tapisser un moule à pain de 23 cm (9 po) de longueur avec du bacon et y verser le pâté. Disposer une feuille de laurier sur le dessus.

∗ Placer le moule dans un plat à rôtir et verser de l'eau chaude dans le plat jusqu'à ce qu'elle entoure le moule à la moitié de sa hauteur.

∗ Mettre au four et cuire pendant 1 h 30. Laisser refroidir avant de servir.

Jambon persillé

POUR : **6 personnes**
PRÉPARATION : **30 min**
CUISSON : **5 min**

**450 g (1 lb) de
jambon cuit, coupé en
tranches assez minces**

Persil frais ciselé finement

**Oignons verts
ciselés finement
(communément appelé
échalote au Québec)**

**625 ml (2 ½ tasses)
d'eau chaude**

**15 ml (1 c. à soupe)
de bouillon de poulet**

**3 enveloppes de
gélatine (21 g/¾ oz)**

5 ml (1 c. à thé) de thym

**5 ml (1 c. à thé)
de cerfeuil séché**

**5 ml (1 c. à thé)
d'estragon séché**

RECETTE À PRÉPARER 12 H AVANT DE LA CONSOMMER

✳ Disposer une ou deux tranches de jambon dans un moule à pain de 23 x 13 cm (9 x 5 po) ; saupoudrer de persil et d'oignons verts.

✳ Répéter la même opération, par étage, jusqu'à ce qu'il n'y ait plus de jambon.

✳ Dans une casserole, faire bouillir l'eau. Y ajouter le bouillon de poulet et la gélatine.

✳ Mélanger et ajouter le thym, le cerfeuil et l'estragon.

✳ Après quelques minutes, retirer la casserole du feu et laisser refroidir un peu.

✳ Verser le mélange dans le plat de jambon et d'herbes.

✳ Laisser refroidir la préparation et mettre au réfrigérateur pendant 10 à 12 h, jusqu'à ce que la gélatine prenne.

✳ Servir en tranches avec du pain grillé et accompagné d'un œuf cuisiné selon le goût.

Mouss'œufs au saumon

RECETTE OFFERTE PAR **JEAN-BERNARD TRUDEAU**

PRÉPARATION : **15 min**

CUISSON : **20 min**

5 ml (1 c. à thé) de vinaigre

2 œufs durs écrasés

60 ml (¼ tasse) d'olives vertes hachées

60 ml (¼ tasse) de céleri en petits morceaux

2 oignons verts hachés

15 ml (1 c. à soupe) de persil

Sel et poivre au goût

180 ml (¾ tasse) de mayonnaise

1 grosse boîte (213 g/7,5 oz) de saumon désossé et égoutté (réserver le jus)

1 sachet de gélatine (7 g/¼ oz)

1 bouquet de persil

* Remplir une casserole d'eau et faire chauffer. Une fois que l'eau bout, ajouter le vinaigre, une pincée de sel et les œufs. Faire cuire les œufs de 10 à 15 min, puis les refroidir dans de l'eau fraîche.

* Écaler les œufs, les écraser et les mélanger avec les olives, le céleri, les oignons verts, le persil, le sel et le poivre, la mayonnaise et le saumon.

* Diluer le sachet de gélatine avec le jus de saumon réservé et ajouter de l'eau froide pour obtenir ¼ de tasse. Faire bouillir dans un bain-marie jusqu'à épaississement.

* Mélanger la mousse et la gélatine pour obtenir la mouss'œufs au saumon, verser dans des plats à entrée, décorer de bouquets de persil et réfrigérer avant de servir.

Patates grillées de Patrick

POUR : **14 galettes**
PRÉPARATION : **45 min**
CUISSON : **15 à 20 min**

....

2 pommes de terres de taille moyenne
....

½ oignon
....

60 ml (¼ tasse) de fromage cheddar
....

60 ml (¼ tasse) de chapelure italienne au fromage Romano
....

Huile d'olive
....

Sel et poivre
....

* Râper les pommes de terre, l'oignon et le cheddar.

* Dans un bol, verser tous les ingrédients et mélanger.

* Faire des boulettes et les écraser en galettes.

* Dans une poêle, faire chauffer de l'huile d'olive à feu moyen et y faire frire les galettes de pommes de terre 4 min.

* Ajouter de l'huile avant de retourner les galettes et cuire encore 4 min.

* Servir quand les galettes sont grillées à souhait.

LE PETIT GRAIN DE SEL

Savez-vous qu'il existe plusieurs musées de l'œuf à travers le monde, notamment à Soyans en France, à Sonnenbühl en Allemagne, à Kolomyia en Ukraine et à Winden en Autriche ?

Patates pilées
à l'œuf

POUR : **1 personne**
PRÉPARATION : **15 min**
CUISSON : **30 min**

2 pommes de terre
de taille moyenne

45 ml (3 c. à soupe)
de crème de table
(15 % de M.G.)

15 ml (1 c. à soupe) de
margarine ou de beurre

1 gousse d'ail écrasée
et hachée

1 oignon vert
(communément appelé
échalote au Québec)

15 ml (1 c. à soupe)
d'huile d'olive

1 œuf

Sel

＊ Éplucher les pommes de terre et les couper en morceaux. Les cuire dans une casserole d'eau bouillante.

＊ Vider l'eau et piler les pommes de terre jusqu'à ce que la texture du mélange soit onctueuse. Ajouter la crème, la margarine, l'ail, l'oignon vert et bien mélanger.

＊ Disposer les patates pilées dans un bol creux et, si elles ne sont pas assez chaudes, les recouvrir d'une feuille de plastique et cuire au four micro-ondes à haute température pendant 1 ½ min.

＊ Dans une poêle, faire chauffer l'huile et frire un œuf.

＊ Renverser l'œuf sur les pommes de terre et saler le tout.

＊ Déguster avec une tranche de jambon ou du jambon persillé.

DÉTAIL DE L'ŒUVRE DE **ROGER DUVAL** ·····························➤

« Je voue une véritable passion aux poules et suis une amoureuse des œufs. C'est l'ingrédient parfait pour cuisiner, mais aussi pour symboliser le travail de ma sœur Lorraine avec Les Impatients. »

Claudette Taillefer

« Ma devise est "Vive la différence" et Les Impatients en sont un bon exemple. Voilà pourquoi je suis de tout cœur avec cette cause. »

Marie-Josée Taillefer

Œufs à la neige

RECETTE OFFERTE PAR **CLAUDETTE** ET **MARIE-JOSÉE TAILLEFER**

POUR : **8 personnes**
PRÉPARATION : **20 min**
CUISSON : **15 min**

POUR LA SAUCE AUX
JAUNES D'ŒUFS
....
**180 ml (¾ tasse)
de sucre**
....
**15 ml (1 c. à soupe)
de fécule de maïs**
....
5 jaunes d'œufs
....
1 L (4 tasses) de lait
....
**5 ml (1 c. à thé) de
vanille liquide**
....

POUR LES MERINGUES
....
5 blancs d'œufs
....
1 pincée de sel
....
250 ml (1 tasse) de sucre
....

FACULTATIF
....
Sucre d'érable granulé
....

PRÉPARATION DE LA SAUCE AUX JAUNES D'ŒUFS

✳ Dans la partie supérieure d'un bain-marie, mélanger le sucre et la fécule de maïs.

✳ Ajouter les jaunes d'œufs légèrement battus à la fourchette. Mélanger. Délayer avec le lait.

✳ Cuire en remuant sans cesse environ 10 min, jusqu'à consistance crémeuse.

✳ Ajouter la vanille, couvrir et réserver.

PRÉPARATION DES MERINGUES

✳ Dans un bol, battre les blancs d'œufs avec le sel jusqu'à ce qu'ils forment des pics mous.

✳ Ajouter le sucre un peu à la fois jusqu'à ce que la meringue soit ferme.

✳ Remplir une poêle d'eau au ¾, porter à ébullition. Baisser le feu. Déposer la meringue par grosse cuillérée sur l'eau. Pocher 5 min. Égoutter les meringues.

✳ Verser la sauce aux jaunes d'œufs dans un bol et y déposer les meringues.

✳ Décorer de sucre d'érable si désiré et servir ou conserver au réfrigérateur.

Pain doré
au fromage

RECETTE OFFERTE PAR LA **FPOCQ**

POUR : **4 personnes**
PRÉPARATION : **10 min**
CUISSON : **5 min**

**8 tranches de pain
d'environ 1,5 cm (½ po)
d'épaisseur, rassis
de préférence**

**125 ml (½ tasse)
de fromage à la
crème ramolli**

**125 ml (½ tasse)
de confiture
de framboises**

4 œufs

125 ml (½ tasse) de lait

**2,5 ml (½ c. à thé)
de vanille liquide**

**15 ml (1 c. à soupe)
d'huile végétale**

Sucre à glacer

✳ Tartiner également le fromage sur 4 tranches de pain.

✳ Étaler la confiture sur le fromage. Couvrir avec les autres tranches de pain.

✳ Battre les œufs avec le lait et la vanille dans un plat peu profond, juste assez grand pour contenir les 4 sandwichs.

✳ Placer les sandwichs dans le plat et les tremper de mélange aux œufs des deux côtés.

✳ Faire chauffer l'huile à feu mi-doux dans une poêle antiadhésive. Faire dorer les sandwichs de 2,5 à 3 min de chaque côté.

✳ Saupoudrer de sucre à glacer et servir.

ŒUVRE DE **JACINTHE CÔTÉ**

Pudding soufflé au citron façon Pierrette, Julie et Bérangère

RECETTE OFFERTE PAR **JEAN-FRANÇOIS CHICOINE**

PRÉPARATION : **20 min**

CUISSON : **1 h 15 min**

**60 ml (¼ tasse)
de beurre**

250 ml (1 tasse) de sucre

**60 ml (¼ tasse)
de farine tamisée**

**60 ml (¼ tasse)
de jus de citron**

Le zeste de 2 citrons

4 gros œufs

**500 ml (2 tasses) de
lait entier 3,25 % de M.G.
(au besoin : 1 ou 2 %)**

1 pincée de sel

FACULTATIF

**15 ml (1 c. à soupe)
de Limoncello**

Sucre à glacer

* Préchauffer le four à 175 °C (350 °F).

* Beurrer un grand moule à soufflé et le placer dans un plat à cuisson de 23 x 33 cm (9 x 13 po).

* Dans un bol, défaire le beurre en crème au malaxeur. Petit à petit, ajouter le sucre, puis la farine, le jus de citron et les zestes. Bien mélanger.

* Dans un autre bol, séparer le blanc du jaune, puis battre les jaunes d'œufs avec le lait. Ajouter au premier mélange.

* Dans un grand bol, monter les blancs d'œufs en neige avec le sel, jusqu'à formation de pics mous.

* Incorporer les blancs d'œufs au premier mélange déjà enrichi du deuxième, en pliant délicatement à l'aide d'une spatule.

* Verser la préparation dans le moule. Mettre un peu d'eau chaude dans le plat à cuisson. Cuire pendant 1 h 15 min. Attention à ne pas ouvrir le four pendant la cuisson.

* Manger immédiatement ou tiède.

* Il est possible d'ajouter du Limoncello dans le mélange et de saupoudrer le pudding de sucre à glacer.

Smoothie
des colibris

RECETTE OFFERTE PAR **CHRISTIANE LABERGE**

POUR : **1 personne**
PRÉPARATION : **10 min**

**½ fruit (banane,
poire, pêche, etc.) ou
125 ml (½ tasse) de
fruits frais ou congelés**

**180 ml (¾ tasse)
de lait (ou de lait de
soya ou d'amande)**

**60 ml (¼ tasse)
de yogourt (ou du
tofu soyeux)**

**15 ml (1 c. à soupe)
de germe de blé**

1 œuf

**15 ml (1 c. à soupe)
de beurre d'arachide
(ou de beurre d'amande)**

FACULTATIF

**Chocolat liquide,
cannelle en poudre,
gingembre râpé, etc.**

* Éplucher et épépiner le fruit, le couper en morceaux et le placer dans un mélangeur.

* Ajouter le lait, le yogourt et le germe de blé.

* Casser un œuf et le verser dans le mélangeur.

* Verser le beurre d'arachide dans un plat en verre et le passer 15 à 20 s au four micro-ondes pour qu'il se liquéfie, puis le verser dans le mélangeur.

* Ajouter, au goût, du chocolat liquide, de la cannelle en poudre, du gingembre râpé ou tout autre aliment apprécié et facile à mélanger.

* Broyer le tout au mélangeur et servir.

« Je recommande souvent ce smoothie aux jeunes atteints du trouble de déficit de l'attention avec lesquels je travaille. Les médicaments qui contrôlent leurs symptômes diminuent leur appétit le midi. Consommée au petit-déjeuner ou à la collation, cette recette leur fournit un bon apport calorique, notamment grâce à l'œuf qu'elle contient. En fait, c'est un peu le principe de la soupe aux boutons : on y met ce qu'on trouve. De plus, la préparer permet d'éveiller la créativité et ainsi de se mettre en mode solutions et, ça, c'est l'aspect gagnant ! »

Dr Christiane Laberge

au cours de
panfondrer
Comme du Ro...
du bleu dans
alexis de Poi...

Lait de poule
fraises et yogourt

RECETTE OFFERTE PAR LA **FPOCQ**

POUR : **1 personne**
PRÉPARATION : **5 min**

1 œuf

250 ml (1 tasse) de yogourt nature

250 ml (1 tasse) de lait

250 ml (1 tasse) de fraises équeutées, coupées en deux

2,5 ml (½ c. à thé) de vanille

FACULTATIF

15 ml (1 c. à soupe) de miel

* Dans un mélangeur, verser un œuf. Ajouter le yogourt et le lait.

* Équeuter et couper les fraises en deux, puis les déposer dans le mélangeur.

* Ajouter la vanille et le miel si désiré.

* Mélanger le tout à haute vitesse pendant 1 min.

* Servir aussitôt.

DÉTAIL DE L'ŒUVRE DE **GAËTANE LUPIEN**

155

Crêpes à la française

RECETTE OFFERTE PAR **MICHEL CUSSON**

POUR : **4 personnes**
PRÉPARATION : **25 min**
CUISSON : **5 min**

**250 ml (1 tasse) de
farine tout usage**

Une pincée de sel

5 ml (1 c. à thé) de sucre

2 gros œufs

**375 ml (1 ½ tasse)
de lait 2 % de M.G.**

**5 ml (1 c. à thé) de
Cognac ou de Triple Sec**

Beurre

Sirop d'érable

⁕ Tamiser la farine et la verser dans un bol avec le sel et le sucre. Mélanger le tout, faire un creux au milieu du mélange et y mettre les œufs.

⁕ À l'aide d'une cuillère en bois, mélanger ces ingrédients jusqu'à ce que le tout soit homogène.

⁕ Ajouter le lait progressivement, ½ tasse à la fois, tout en mélangeant avec un fouet métallique, et ce jusqu'à ce que la pâte soit lisse.

⁕ Ajouter le Cognac ou le Triple Sec, mélanger et laisser reposer 20 min.

⁕ Faire chauffer une poêle antiadhésive de taille moyenne à feu moyen. Lorsque la poêle est chaude, y déposer un peu de beurre et l'étendre sur toute la surface de la poêle.

⁕ Verser une louche de pâte à crêpes dans la poêle et étendre la préparation rapidement, en tournant la poêle, afin que la pâte s'y répartisse de façon homogène.

⁕ Lorsque le fond de la crêpe est doré, la retourner avec une spatule et la faire cuire de l'autre côté. Lorsque la crêpe est cuite (elle cuira plus rapidement du 2e côté), servir avec du sirop d'érable.

« J'adore les crêpes. Ma mère m'en préparait
lorsque j'étais petit et, maintenant, nous
faisons cette recette de crêpes tous les
dimanches matins en famille, au chalet,
à la maison ou même en vacances ! Je
les mange souvent nature, car elles sont
déjà un peu sucrées, ou accompagnées
de bacon. »

Michel Cusson

Index des ingrédients

Remerciements

Je tiens à remercier Ophélie Delaunay, Julie Villemaire, Célia Provencher-Galarneau, Martine Podesto, Anne-Marie Fortin, Benoît Desgreniers et Catherine Côté, ainsi que toute l'équipe des Éditions Québec Amérique, pour leur enthousiasme et leur créativité dans la réalisation de ce livre.

Un grand merci également à la Fédération des producteurs d'œufs de consommation du Québec pour son soutien financier.

Comment ne pas remercier tous mes amis (médecins, artistes et chefs cuisiniers) qui ont offert une de leurs recettes fétiches, ainsi que les proches qui ont partagé avec moi leur recette : Rosa Blancas, Robert Dubois, Dr Robert Élie et Patrick Godbout.

Un grand merci également à ma conjointe, Céline, pour son texte et ses grains de sel, à mon fils Simon et sa conjointe Aïsha, pour leurs conseils légaux, ainsi qu'à ma fille Miori et son conjoint Maxime, pour leur soutien.

Enfin, merci aux anges Lorraine Palardy et Clémence Desrochers, qui ont rédigé les préfaces, ainsi qu'aux Impatients, dont les œuvres enjolivent le livre et pour qui cet ouvrage existe.

Yves Lamontagne, médecin

Sources

Sources photographiques
Catherine Côté, photographe principale
Jessica Garneau, photo de Clémence Desrochers
Julie Perreault, photos de Véronique Cloutier et
    de Stefano Faita
Monic Richard, photo de Josée di Stasio
Jean-François Bérubé, photo de Ricardo Larrivée

Sources dessins
Page 14, Dinh Duong Nguyen
Page 19, Linda Lemieux
Page 22, Jean Cousineau
Page 27, Denis G.

Sources recettes
Pages 64, 124, 131, 148 et 155 : Recettes tirées du site
Web de la FPOCQ, www.lesoeufs.ca
Page 127, recette tirée du livre *À la di Stasio 3*, Éditions
Flammarion Québec
Pages 49 et 72, recettes tirées du site Web
www.ricardocuisine.com
Page 92, recette tirée du livre *Recettes de cuisine et
cocktails des Antilles*, vol 6, Editions Exbrayat

Bibliographie

> BALZAC, Honoré de. *La Comédie humaine, les mots du personnage du père d'Oliban.*

> BARKER, Alex. *Get cracking, the definite cook's guide to choosing, cooking and enjoying eggs*, Southwater, 2001.

> CHEVALIER, Jean et GHEERBRANT, Alain. *Dictionnaire des Symboles*, Éditions Robert Laffont, 2004.

> CLAUSTRES, Francine. *La cuisine des œufs*, Éditions Jean Paul Gisserot, 2006.

> COFFE, Jean-Pierre. *Ce que nous devons savoir sur l'œuf*, Éditions Plon, 2008.

> DAUCHIN, Antoine. *L'œuf et la poule*, Éditions Fayard, 1983.

> DESLOGES, Yvon. *À table en Nouvelle-France*, Éditions Septentrion, 2009.

> DJOUSSE, L., GAZIANO MJ. *Egg consumption in relation to cardiovascular disease and mortality : the physicians' health study, American journal of clinical nutrition*, 2008.

> ECKEL, RH. *Egg consumption in relation to cardiovascular disease and mortality : the story gets more complex, American journal of clinical nutrition*, 2008.

> GAULTIER, Alyse. *L'ABCdaire de Dalí*, Éditions Flammarion, 2004.

> GILBERT, Martin et SINGER, Peter. *La souffrance animale, la poule… et l'œuf, Le Devoir*, 17-18 décembre 2011.

> HERVÉ Dominique et NÉGARER, Alban. *Œufs plaisir*, Éditions Didier Carpentier, 2005.

> HOWELL, WH., MC NAMARA, DJ et al. *Plasma lipid and lipoprotein responses to dietary fat and cholesterol : a meta-analysis, American journal of clinical nutrition*, 1997.

> HU, FB., STAMPFER, MJ., RIMM, EB. et al. *A prospective study of egg consumption and risk of cardiovascular disease in men and women, Journal of the American Medical Association*, 1999.

> KATZ, DL., EVANS, MA., NAWAZ, H. et al. *Egg consumption and endothelial function : randomized control crossover trial, International Journal of Cardiology*, 2005.

> KISJALT, Isolde. *Des œufs décorés*, Éditions Fleurus, Collection Mille-pattes, 1989.

> KRAUSS, RM., ECKEL, RH., HOWARD, B. et al. *AHA dietary guidelines: revision 2000, A statement for healthcare professionals from nutrition committee of the American Heart Association*, Stroke, 2000.

> LAFRANCE, Marc et DESLOGES, Yvon. *Goûter à l'histoire : les origines de la gastronomie québécoise*, Éditions de la Chenelière, 1989.

> LAMBERT, Michel. *Histoire de la cuisine familiale au Québec : plaines du St-Laurent et produits de la ferme traditionnelle*, vol. 4, Éditions GID, 2011.

> LAMBERT, Michel. *Histoire de la cuisine familiale au Québec : ses origines autochtones et européennes*, vol. 1, Éditions GID, 2006.

> Musée des Beaux-arts de Montréal, *Salvador Dalí*, Catalogue 1990.

> TCHUMAK, Yvanka. *Les œufs décorés*, Dessain et Tolra, Paris, 1987.

> THIBOUMERY, Antoine. *L'œuf*. Aubanel, marque des éditions Minerva, 2004.

> VORSTER, HH., BENADE, AJ., BARNARD, HC. et al. *Egg intake does not change plasma lipoprotein and coagulation profiles, American journal of clinical nutrition*, 1992.

> http://www.oeuf.ca

> http://oeufpassion.e-monsite.com/pages/art

> http://www.centrepompidou.fr/

> http://www.lanutrition.fr/

> http://www.mapouleamontreal.com/

> http://www.stagesdepeinture.fr

> http://www.swissnat.com/

> http://www.universalis.fr/

Oeufs
sur le plat

Oeufs
pochés

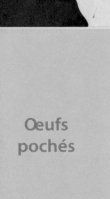

Oeufs
brouillés

Omelettes

Oeufs
pochés

Oeufs
cocotte

Omelettes

À-côtés